S0-BIP-000

the Secret®
ザ・パワー

ロンダ・バーン

角川書店

www.thesecret.tv

Japanese translation rights arranged with ATRIA BOOKS, a division of Simon & Schuster, Inc. through Owls Agency Inc.

Published in Japan by Kadokawa Shoten Publishing Co., Ltd.

Original artwork by Nic George for Making Good LLC

Book design by Making Good LLC and Gozer Media P/L (Australia)

「これこそが、宇宙にある全てのものを
完璧（かんぺき）にする原因です」

エメラルド・タブレット（紀元前3000年頃）

本書をあなたにささげます。

目次

序文 9

感謝の言葉 15

はじめに 20

ザ・パワーとは何なのでしょう 24

感情のパワー 50

感情の周波数 68

ザ・パワーと創造 88

感情こそが創造 112

人生はあなたに従います 132

ザ・パワーへの鍵 154

ザ・パワーとお金 192

ザ・パワーと人間関係 218

ザ・パワーと健康 248

ザ・パワーとあなた 276

ザ・パワーと人生 300

序文

二〇〇四年九月九日は私にとって忘れられない日です。目覚めた時はいつもと変わらぬ朝でしたが私の生涯で最高の日になりました。

ほかの人と同じように、私も生きるために一生懸命に働き、色々な困難を乗り越えようと最善を尽くしてきました。しかし、二〇〇四年は私にとって特に厳しい年で、九月九日という日に、私は困難な状況にまさに打ちのめされました。人間関係、健康状態、仕事、そして懐具合のどれをとっても良くなる見込みがありませんでした。問題が山積みで出口が見つからなかったのです。すると、その時、それが起こったのです！

娘がくれた百年前の本を※九十分かけて読み終えた時、私の全人生が一変しました。私は自分に起きたことの全ての原因に気付き、その状況を自分の望むものに変えるためには何をすべきか、即座に悟ったのです。

※ ウォレス・ワトルズ著『富を「引き寄せる」科学的法則』。英語版はザ・シークレットのウェブサイト（www.thesecret.tv）から無料でダウンロードできます。日本語版は角川文庫刊。

私はある秘密を発見したのでした。その秘密は何世紀にも亘り受け継がれて来ましたが、歴史を通じてほとんど知られることがありませんでした。

それを知った瞬間から私にとって世界はそれまで見ていた世界とは違うものになりました。人生の仕組みについて私が信じていた全てが実際は逆だったのです。私は何十年もの間、人生は単に私達に起こってくるものだと信じて生きていました。しかし今、私は信じられないような真実を発見したのです。

また、ほとんどの人がこの秘密を知らないこともわかりました。そこで、世界中の人々とこの秘密を分かち合う仕事を始めました。想像しうるあらゆる障害を乗り越えて、映画「**ザ・シークレット**」を製作し、二〇〇六年世界に公開しました。同じ年『**ザ・シークレット**』書籍版を著し、自分の発見したことをより詳しく伝えることができました。

『**ザ・シークレット**』が発売されて以来、この秘密が地球上の人から人へと光のようなスピードで伝わりました。今日、世界中の国々の何千万という人々が『**ザ・シークレット**』を知り、最も信じられないような方法で人生を好転させています。

『**ザ・シークレット**』でどのように人生を変えればよいか学んだ人々が、私に何千もの驚くべき物語を送ってくれました。そして、私はなぜ人々が人生でそんなに苦しむのか、深い洞察を得ることができました。そしてその洞察をもとに『**ザ・パワー**』を書きました。ここに書かれたことを理解すれば人生を即座に変えることができます。

『**ザ・シークレット**』は引き寄せの法則を明らかにしています。これは私達の人生を支配している最もパワフルな法則です。『**ザ・パワー**』は二〇〇六年に『**ザ・シークレット**』が発売されてから私が得た、全ての知識のエッセンスをまとめたものです。『**ザ・パワー**』を読めば、人間関係やお金、健康や幸福、仕事など人生のあらゆる面を好転させるために必要なことはたった一つである、ということが分かるでしょう。

『**ザ・パワー**』で人生を変えるために、『**ザ・シークレット**』をすでに読んでいる必要はありません。あなたに必要なことは全て『**ザ・パワー**』に盛り込まれているからです。すでに『**ザ・シークレット**』をお読みであれば、この本はあなたがすでに知っていることに計り知れないほどの知識を付け加えてくれることでしょう。

あなたが知らなければならないことは沢山あります。自分自身について、そして、自分の人生について理解しなければならないことも沢山あります。しかも、それは全て良いことばかりです。実は、良いどころか、驚異的なことなのです！

感謝の言葉

まず、歴史上の偉大な先駆者たちが命の危険を冒してまで、次に続く世代のために人生の知恵や真実が伝わるよう残してくださったことに深く感謝の意を表明したいと思います。

『**ザ・パワー**』という本がこのような形で出来上がるまでに、計り知れないほど多くの皆さんに助けていただきました。特に次の方々に感謝したいと思います。スカイ・バーンはすばらしい編集をしてくれました。ジャン・チャイルドは指針を与え、激励し、専門知識と、計り知れないほどの情報を提供してくれました。ジョン・ゴールドは科学、歴史に関し、詳細な調査をしてくれました。

ゴザ・メディアのシャムス・ホーレとニック・ジョージは本のデザインを、そして、このニック・ジョージは挿絵の原画を描き、グラフィック・デザインをして、この本をパワーのある美しい本に仕上げてくれました。この本を手に取る読者の一人ひとりがデザインの美しさに感動することでしょう。

この本の出版社であるサイモン&シャスター社に深く感謝します。キャロリン・レイディとジュディス・カーに対しては、信頼し、心を開いて何十万という人々に喜びをもたらす新しい道を開いてくれたことに感謝します。

私の編集者であるレスリー・メレディスは『**ザ・パワー**』の編集作業に完璧な喜びを持って臨んでくれました。コピーエディターのペグ・ハラー、キンバリー・ゴールドスタインとイソルデ・サウアー、その他、サイモン&シャスターのチームのメンバー、デニス・ユラウ、リサ・ケイム、アイリーン・アヘアーン、ダーレネ・デリロ、ツイスネ・ファン、キット・レッコード、ドナ・ロフェレドたちの疲れを知らない仕事ぶりに感謝します。

私の仕事仲間、そして、ザ・シークレットのチームが可能性にたいして、勇気を持って心を開き、全ての問題を克服してくれたお陰で、全世界に喜びをもたらすことが出来ました。この人々にも愛と感謝を捧げたいと思います。ポール・ハリントン、ジャン・チャイルド、ドナルド・ジック、アンドリア・ケイア、グレンダ・ベル、マーク・オコーナー、ダミアン・コーボイ、ダニエル・カー、ティム・パターソン、ヘイリー・バーン、キャメロン・ボイル、キム・バーノン、シェイ・リー、ロリ・シャラポブ、スカイ・バーン、ジヨシュ・ゴールド、ニック・ジョージ、ローラ・ジャンセン、ピーター・バーンの皆さんです。

弁護士のマイケル・ガードナーとスーザン・シーに感謝します。また弁護士の、ブラッド・ブライアンとルイス・リーにその適切な指導と専門知識に深く感謝します。この二人は誠実さと真実の生きた実例として、私の人生に前向きさをもたらしてくれました。

また私の愛する友人たち、彼らはいつも私が大きく成長するのを助けてくれました。エレイネ・ベイト、ブリジット・マーフィー、ポール・スディング、マーク・ウエーバー、フレッド・ネイダー、ダニー・ハーン、ボビー・ウエッブ、ジェームス・シンクレアー、ジョージ・バーノン、カルメン・ヴァスケズ、レルマー・ラーガエスパーダ、そして、最後になりますが、とても大切なアンジェル・マーチン・ヴェラヨスに感謝します。彼のスピリチュアルな光と信仰が私を新しいレベルへと導いてくださったおかげで、私は夢を実現し、何十万人もの人々に喜びをもたらすことが出来ました。

私の二人の娘へイリーとスカイは私の最大の先生です。彼女たちがいてくれたお陰で、私の毎日が明るくなりました。私の姉妹であるポーリン、グレンダ、ジャン、カイエは私の人生の良い時も悪い時も変わりなく、私を愛で支えてくれました。二〇〇四年に起こった突然の父の死が私を導いて、「**ザ・シークレット**」を発見することが出来ました。『**ザ・**

パワー』を書いているときに、最愛の友人である、母が亡くなりました。亡き後も母は私たちが最高の状態でいられるよう、そして、無条件の愛によって世界に違いをもたらすように、導いてくれました。私は心の底から母に、「ありがとう」と言いたいと思います。

はじめに

あなたは素晴らしい人生を生きるようにできています！

あなたは愛し望むものすべてを手に入れることができます。仕事は楽しくやりがいがあり、すべての目標を成し遂げることができます。家族や友人との関係は幸せに満ちたものになります。お金についても充実した素晴らしい生活を送るのに十分なだけ得ることができます。また、夢はすべて実現できるはずです！　旅行したければ旅行できます。ビジネスを始めたければ始められ、ダンスもヨットもイタリア語の勉強も、やりたいと思えばすべてができるのです。音楽家、科学者、オーナー社長、発明家や芸人、親など何でもなりたい人になれます。

毎朝起きると、あなたはわくわくしているはずです。その日に素晴らしい事がたくさん起こるのをあなたは知っているからです。あなたは笑いに溢（あふ）れ、喜びに満ちています。あなたは心強い安心感を抱き、自分が価値ある人間だと感じます。もちろん、人生には色々な問題があるでしょう。そして、それに直面しなければならない運命もあるでしょう。それも予定通りです。しかし、そういった問題を解決する方法も分かっており、むしろ、それらの問題のお陰であなたは成長するのです。あなたは勝者となり、幸せになり、驚くほど素晴らしい人生を送るようになっているのです！

あなたは苦しむために生まれて来たのではありません。喜びや楽しみがない生活を送るために生まれて来たのでもありません。週に五日間骨を折って働き、つかの間の週末を過ごすために生まれて来たのではありません。エネルギーが十分ではなく、毎日の終わりに疲れ果てるために生まれて来たのでもありません。心配したり恐れたり、苦しんだりするために生まれて来たのでもありません。あなたの人生で大切なことは何でしょうか？あなたは充実した人生を送り、希望するものをすべて手に入れ、同時に喜びや健康に恵まれ、活力、楽しみ、愛に溢れた素晴らしい人生を送るために生まれて来たのです。それこそが素晴らしい人生なのです！

あなたがなりたいもの、やりたいこと、持ちたいもの、そしてあなたの夢の生活は、どれもあなたが思っているよりもずっと身近にあります。なぜなら、それを実現する力をあなたは自分の中に持っているからです。

「無限の宇宙を統治する至高のパワーと支配力が存在します。そして
あなたは、そのパワーの一部なのです」

プレンティス・マルフォード（一八三四〜一八九一）
ニューソート作家

この本で私は素晴らしい人生を手に入れる方法を披露したいと思っています。あなたは自分自身について、また、自分の人生や宇宙について驚くべき事柄を発見するでしょう。人生はあなたが思っているよりもずっと簡単です。その仕組みやあなたの内なるパワーを理解すれば、あなたは人生の魔法を完全に体験するでしょう。そうすれば、あなたは驚くほど素晴らしい人生を送ることでしょう！

さあ、あなたの人生の魔法を始めましょう！

ザ・パワーとは
何なのでしょう

「このパワーが何であるかは言えません。ただそのパワーが実在していることは確かです」

アレキサンダー・グラハム・ベル（一八四七〜一九二二）
電話の発明家

人生は単純です。あなたの人生には二種類のものがあるだけです。肯定的なものと否定的なものです。生活の様々な分野、つまり、健康、お金、人間関係、仕事、心の持ち方もあなたにとって肯定的か否定的かのいずれかです。例えば、お金が潤沢にあるか不足しているか、健康で輝いているか不健康なのか、人間関係が良好か難しいのか、仕事が楽しく成功しているか不満が多く不成功なのか、幸福感に満ち溢（あふ）れているか、ほとんどの時間不幸せなのか、人生の良い時期か悪い時期か、良い時もあれば悪い時もある、良い日もあれば悪い日もあります。

もし、あなたの人生で否定的なものが肯定的なものより多い時、あなたは何かが大きく間違っていて、あなたにはそれがわかるはずです。自（おの）ずとそれに気付くものです。あなたは他人の人生が素晴らしく、幸せで満たされているのを見て、自分もそうなるのに値することをどこかでわかっています。そのとおりなのです。あなたは幸せに満ちた人生を送る資格があります。

素晴らしい人生を送っている多くの人々は自分がどの様にそれを手に入れたのかを正確に知っているわけではありません。でも、彼らは確かに何かをしたのです。彼らは人生に良きものをもたらすあるパワーを使ったのです…。

素晴らしい人生を送っている人々はそれを達成するために例外なく愛を使ったのです。人生のポジティブで素晴らしいものを得るパワーとは愛なのです！

有史以来、すべての宗教やすべての偉大な思想家、哲学者、預言者、指導者は愛について語ったり、書いたりしてきました。しかし、私達の多くはこれら賢人の言葉を正確には理解してきませんでした。彼らの教えが同時代の人達向けであったにもかかわらず、彼らの語るひとつの真実、世界に対するメッセージは今でも変わりません。それは愛です。人は愛する時、この宇宙で最強のパワーを使っているのです。

愛の力

「愛は物理的には見えませんが、空気や水と同じく本物です。それは行動し、生命ある動的な力です……海の波や潮の流れのように動いています」

プレンティス・マルフォード（一八三四〜一八九一）
ニューソート作家

世界の偉大な思想家や救世主が語ってきた愛は、ほとんどの人が理解している愛とは大きく異なります。家族や友達や大好きな物への愛よりもずっと大きなものです。愛とは単なる感情ではなく、愛は肯定的な力だからです。愛はもろくも弱くも柔らかくもありません。愛は人生のポジティブな力なのです！　愛はすべてのポジティブで素晴らしいことの源泉です。人生のポジティブな力には何百もの種類がある訳ではありません。たったひとつしかありません。

引力や電磁力のような自然の偉大な力は人間の目には見えません。しかし、それらの力

が存在することに疑問の余地はありません。同様に、愛の力は私達には見えませんが、その力はどの自然の力よりも強いのです。世界のあらゆるところでその証拠を見ることができます。愛がなければ人生はありません。

少し考えてみて下さい。愛がないと人生はどうなりますか？　まず、第一に、あなたは存在しません。愛なくしてはあなたは生まれなかったからです。あなたの家族も友達も生まれていません。地球上に愛がなければ人類は一人も誕生していないのです。今日、愛の力がなくなれば、全人類は途絶え、絶滅してしまうでしょう。

人類による全ての発明、発見、創造は人間の心の中の愛から生まれました。ライト兄弟の愛なくして、私達は飛行機で飛ぶこともなかったでしょう。科学者、発明家、発見者の愛がなければ、電気、暖房、照明もなかったことでしょう。自動車や電気製品や電話など生活を便利で快適にする技術もなかったでしょう。建築家や設計者の愛がなければ、家や建物や街もありません。愛がなければ、薬も医者も救急病院もないでしょう。先生や学校や教育も同様です。本や絵画や音楽も存在していません。なぜなら、これらも全て愛のポジティブな力で創造されたからです。あなたの周りを見回して下さい。あなたが人間の創造物だと思うもの全ては愛がなければ存在しないのです。

「愛を奪えば、地球は墓場となります」

ロバート・ブラウニング（一八一二〜一八八九）
詩人

愛こそがあなたを動かす力です

あなたがなりたいもの、したいこと、欲しいものはすべて愛から始まります。愛がなければ、あなたは動けません。朝起き上がり、仕事をし、踊り、歌い、話し、学び、音楽を聴くことなど何かをする前向きな原動力が愛なのです。愛がなければあなたはまるで石像のようです。前向きな愛の力に刺激されて、行動を起こし、なりたいものになり、したいことをして、欲しいものを得るのです。愛の前向きな力が素晴らしいものを創造し、増やし、日々の生活において否定的なものを好転させてくれるのです。愛こそが、健康や富、職業や人間関係など人生のすべての分野におけるパワーなのです。そして、そのパワー、つまり愛は、あなたの中にあります！

しかし、あなたが生きていくパワーを自分の中に持っているとすると、なぜ今、あなたの人生は驚くべきものになっていないのでしょうか？　なぜ、人生の様々な面が素晴らしいものになっていないのでしょうか？　なぜ欲しいものがすべて手に入っていないのでしょうか？　なぜ、やりたいことがすべてできていないのでしょうか？　なぜ、毎日が歓び(よろこび)で満たされていないのでしょうか？

その答えは、あなたがそう選択したからです。あなたにはそのポジティブな力を使うかどうかの選択肢があります。それに気付いていたかどうかに関係なく、毎日、つまり、人生の一瞬一瞬に、その選択を繰り返してきたのです。何か素晴らしい事を体験した時は常に、例外なく、それを愛し、愛のポジティブな力を使ったのです。逆に、悪い事を体験した時は、そこに愛はなく、否定的な結果となったのです。すべての素晴らしい物事の源が愛であり、その愛が不十分だとネガティブな結果や苦痛がもたらされます。悲しいことに、現在、人類史上かつてない程人々の間で愛の力についての知識と理解が足りないことは明らかです。

「愛とは世界で最も力強く、しかも、未だ最も理解されていないエネルギーです」

ピエール・テイヤール・ド・シャルダン（一八八一〜一九五五）
神父・哲学者

あなたは今、幸福の唯一つの源であるパワーに関する知識を受け取っています。そのパワーで人生を完全に変えることができます。しかし、先ず愛がどのように働くかを確実に理解する必要があります。

愛の法則

宇宙は自然の法則に支配されています。飛行が自然界の法則と調和しているため私達は飛行機で空を飛ぶことができます。物理学の法則が変わったから私達が飛べるようになったのではなく、私達が自然界の法則と調和する方法を発見したのです。物理学が飛行や電気や引力を支配する法則であるのと同様に、愛を支配する法則があります。愛のポジティブな力を利用し人生を変えるには、その法則を理解しなければなりません。宇宙で最もパワフルな法則、それが引き寄せの法則です。

それは最大のものから最小のものまで、宇宙の全ての星を結びつけ、全ての原子や分子を形作る法則です。太陽の引力は太陽系の惑星を引き寄せ、宇宙で衝突しないように保っています。同じ様に引き寄せの法則はあなたと地球上のあらゆる人や動物、植物や鉱物を結びつけています。ミツバチを誘う花や、土壌の栄養を吸収する種や、自分の種に引き寄せられる生き物というように、自然界のあらゆる場面で引き寄せの力を見ることができます。引き寄せの力は陸上のあらゆる動物や海洋の魚や空を飛ぶ鳥に作用し、それらが増殖し、集まり、群れをなすように導いています。引き寄せの力は、あなたの体の細胞や家の素材や椅子などの家具、道に駐車してある車やコップの中の水を結びつけています。あなたが使う全ての物は引き寄せの力で結びついているのです。

引き寄せが人間をお互いに結びつけている力です。その結果、共通のものを有している人々が町や国を、或(ある)いは様々なグループや会や組織を形成します。その力によって、ある人は科学、ある人は料理、またある人々は色々なスポーツ、様々な音楽、特定のペットや動物に引き寄せられます。あなたが好きな場所や物事に興味を抱くのは引き寄せの作用があり、そのお陰で愛する人々や友人達と一緒に過ごすことができるのです。

愛の誘引の力

では、引き寄せの力とは何でしょうか？　引き寄せの力とは愛の力なのです！　引き寄せは愛なのです。大好きな食べ物に夢中になっている時は、その食べ物に対する愛を感じています。引き寄せがなければ何も感じず、あなたにとって全ての食べ物の味わいは同じものになってしまいます。そして、何にも引き寄せられないため、何を愛し、何を愛していないのかを知ることができません。あなたは、他の人や特定の街、家や車、スポーツや仕事、音楽や衣類など何も引き寄せません。なぜなら、人は引き寄せの力を通して愛を感じるからです。

「引き寄せの法則と愛の法則……それらは同一のものです」
チャールズ・ハーネル（一八六六〜一九四九）
ニューソート作家

引き寄せの法則は愛の法則です。そのパワフルな法則が無数の銀河から原子まで全てのものの調和を保っています。それは、全ての物事に働き、また宇宙のあらゆるものを通して作用しています。そして、それはあなたの人生においても作用している法則なのです。

一般的な言い方では、引き寄せの法則を「類は友を呼ぶ」と言います。それを分かり易く言えば、あなたが与えたものがあなたに返ってくるという意味です。あなたが人生で与えたものをあなたは受け取ります。引き寄せの法則の結果、あなたが与えたまさにそのものが自分に戻ってくるのです。

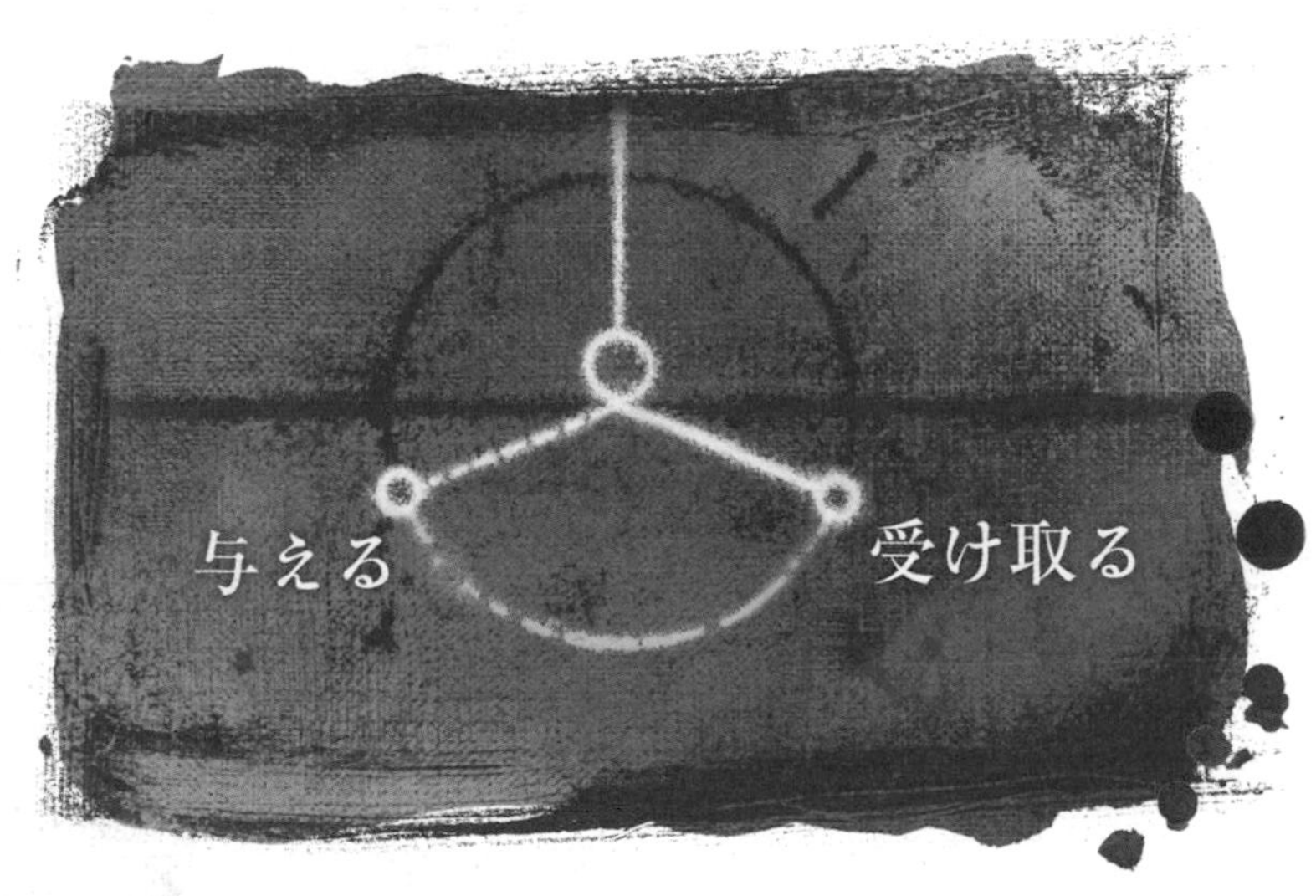

「全ての行為に対して、それと同等か正反対の反応が起きます」
アイザック・ニュートン
（一六四二〜一七二七）
数学者・物理学者

与えるという行為の全てが受け取るという行為を創造します。あなたが受け取るものは、あなたが与えたものと全く同等のものなのです。人生で与えたものは、必ずあなたに戻ってきます。それが宇宙の物理学であり数学です。

ポジティブなものを出せば、ポジティブなものが返ってきます。ネガティブなものを出せば、ネガティブなものが返ってきます。ポジティブなものを出せば、ポジティブに溢れた人生を受け取ります。それでは、どのようにポジティブやネガティブを出すのでしょうか？　あなたの思考や感情を通して出します！

人はどの瞬間でも、ポジティブかネガティブかいずれかの思考を発し、ポジティブかネガティブな感情を抱いています。それがポジティブかネガティブかで、あなたが受け取るものが決まってきます。人生の一瞬一瞬に、あなたが出会う人々や状況や出来事は全てあなたが発する感情や思考を通して生じます。物事はただ単に起きるのではありません。全てはあなたが与えたものに由来して起こるのです。

「与えよ、さらば与えられん……なぜなら、汝(なんじ)の秤(はかり)で量られるものが汝にもたらされるからだ」

イエス（紀元前五頃〜紀元三〇頃）
キリスト教の創始者　ルカ伝第6章38

人は自分が与えた正に同じものを受け取ります。例えば、引っ越しをしている友人を手伝ってみて下さい。その助けと支持は光のように素早くあなたに舞い戻ってきます。あなたをがっかりさせた家族に怒りをぶつけてみて下さい。すると、その怒りはあなたの人生に舞い戻ってきます。

人はその人生を思考と感情で形成しています。あなたの考えや抱く感情があなたの人生で経験する全てを創造しているのです。「今日はストレスの多い大変な一日になるだろう」と考えたり感じたりすると、実際厄介な人々や状況や出来事を引き寄せ、その日を困難でストレスの多いものにしてしまうのです。

逆にあなたが「人生は本当に素敵だ」と考えたり感じたりすると、それを実現するような人々や状況、出来事を引き寄せることができるのです。

あなたは磁石なのです

引き寄せの法則によれば、人が人生で受け取るものは、全て間違いなくその人が与えたものに由来します。人が発した全ての思考と感情に基づき、その何倍もの経験や出来事、仕事や人間関係、健康や富や状況を受け取ります。お金に関して前向きな思考や気持ちを発信すれば、前向きな状況や人々、出来事やお金が何倍にもなってもたらされるでしょう。逆にあなたがお金に関して否定的な気持ちや思考を発信すると、お金に困るような状況や人々や出来事を引きつけてしまうでしょう。

「人類が意識的に愛の法則に従うかどうかは分かりません。だからと言って私は心配したりしません。愛の法則は我々が受け入れるか否かにかかわらず、万有引力の法則と同じ様に作用するからです」

マハトマ・ガンジー（一八六九～一九四八）
インドの政治指導者

あなたが考えたり感じたりすると、間違いなく、引き寄せの法則はあなたに反応します。思考や感情の善悪にかかわらず、あなたがそれを発信すると、その言葉がこだまのように正確かつ自動的に自分に跳ね返って来るのです。しかし、このことは、人は思考や感情を変えることで自分の人生を変えることが出来ることを意味しています。つまり、あなたが前向きな思考や感情を発信すれば、人生を完全に変えられるのです！

前向きな思考と後ろ向きの思考

ここで思考という場合、自分の頭の中で聞こえる言葉と発生する言葉の両方を意味します。「何て素敵な日でしょう」と誰かに言った場合、先ずそういう考えが頭に浮かび、次にそれを言葉に出したのです。あなたの思考が行動になった訳です。あなたが朝ベッドから起き上がる時は、そうする前にベッドから出ようという考えがあります。思いなくして行動は起きません。

あなたの行動が前向きになるか後ろ向きになるかを決めるのは思考です。しかし、あなたの思いが前向きか後ろ向きかはどの様に決めるのでしょう？　あなたが愛するものや欲しいものを考える時は前向きです。あなたが欲しくないものや愛していないものを考える時には、思考は後ろ向きです。話はそれ程単純で簡単なことなのです。

あなたが何かを欲しいと感じるのはそれに愛を感じているからです。しばらく考えてみて下さい。愛していないものは欲しくないでしょう？　人は皆愛するものしか欲しくありません。愛していないものは欲しくないはずです。

例えば「あの靴が大好き、奇麗ね」と愛を感じて、その物のことを考えて話す時は、あなたの思考は前向きです。そして、そういう前向きな思考が、あなたに愛する物、つまり奇麗な靴をもたらすのです。逆に「あの靴の値段を見て。完全に金銭泥棒だわ」と愛情が湧かず欲しくない物の事を思い浮かべて話す時、あなたの思考は否定的です。すると、そうした物、例えば高過ぎる物がもたらされるのです。

人は自分の愛情が湧くものよりも、そうでないものの話を多くしがちです。そうした人達は、愛のない否定的な感情を発し、人生の素晴らしいものを知らず知らずのうちに失ってしまうのです。

愛なくして最高の人生を送ることは不可能です。幸福な人生を送っている人は、愛していないものよりも、愛するものについていつも考え、話しています！　葛藤（かっとう）している人は、愛しているものよりも愛していないものについて考え、話します！

「人生のあらゆる重荷や苦しみから私達を解き放ってくれる言葉が一つだけあります。それは愛です」

ソフォクレス（紀元前四九六〜四〇六）
ギリシアの劇作家

愛するものについて話しなさい

人はお金や人間関係の問題や病気、或いは、利益が落ちたこと等を話す時には、愛するものについて話していません。また、あなたを悩ませたりイライラさせるニュースの中の悪い出来事や人や状況について話す時は、愛するものについて話していません。約束に遅れたとか、渋滞に巻き込まれたとか、バスに乗り遅れた等、不運な日について話すことは、全てあなたが愛していない事について話していることになります。毎日ありとあらゆる些細(ささい)なことが起きますが、愛していないことについて話し始めてしまうと、そうした些細なことがあなたの人生により多くの問題や困難をもたらしてしまいます。

その日の良いニュースについて話して下さい。うまくいった会見とか、約束時間に着く

ことが大好きであるなどの話をして下さい。健康で溌剌としていることがどれだけ良いことかを話しましょう。利益の達成目標について話して下さい。その日にうまくいった出来事や縁について話しましょう。愛することを引き寄せるためには、あなたが愛することについて話さなければなりません。

否定的なことをオウムのように繰り返し話し、愛していないことについて不平不満ばかりを言っていると、籠の中のオウムのように自分を本当に牢獄に閉じ込めてしまうことになります。愛していないことを話すたびに、その籠に棒を一本つけ足して、全てのよきものから自分を遠ざけてしまいます。

素敵な人生を送っている人達は、好きなことについてよく話します。そうすることで人生の良きものへ無限にアクセスすることができ、空高く舞い上がる鳥の

ように自由になります。素敵な人生を送るためには、あなたを牢獄に閉じ込めている鳥籠を壊して下さい。愛を与え、あなたの愛することだけを話せば、あなたは自由に羽ばたけます！

「また真理を知るであろう。そして真理はあなたがたに自由を得させるであろう」

イエス（紀元前五頃〜紀元三〇頃）
キリスト教の創始者　ヨハネ伝第8章32

愛の力に不可能はありません。あなたが誰であれ、あなたの直面する状況が何であれ、愛の力はあなたを自由にしてくれます。

自分を牢獄に閉じ込めていた格子を愛により壊すことができた女性を知っています。二十年も夫から虐待され続けた後、彼女は貧しい状況に取り残され、一人で子供達を育てなくてはならなくなりました。大変な苦難に直面したにもかかわらず、彼女は決して、怒りや後悔や嫌な気持ちが心に根付かないようにしました。また、離婚した夫のことを一切悪く言わず、その代わり、完璧（かんぺき）でハンサムな新しい結婚相手のことやヨーロッパ旅行の夢について、前向きな思考や言葉だけを発しました。旅行をするお金がないのにパスポートを申請し、夢のヨーロッパ旅行に必要な最低限度の買い物をしました。

すると、彼女は本当に完璧でハンサムな新しい結婚相手を見つけたのです。そして再婚すると、スペインの海を見下ろす新しい夫の家に移りました。今そこで幸せに暮らしています。

この女性は愛していないことについて話すことをせず、愛を感じることに愛を注ぎ、考え、話すことにしました。そうすることで、苦難や労苦から自由になれ、美しい人生を手にすることができたのです。

あなたは人生を変えることができます。それは、あなたには愛することを考え、話す無限の力があるからです。つまり、あなたには自分の人生に良きものをもたらす無限の力があるのです！　しかも、あなたの持つパワーは、愛するものに対して抱くポジティブな思考や言葉よりも、ずっと大きいのです。なぜならば、引き寄せの法則があなたの思考や感情に反応するからです。そして、そのパワーを活用するには、あなたは愛を感じなくてはなりません！

「愛は律法を完成するものである」

聖パウロ（紀元五頃～六七頃）

キリストの使徒　ローマ人への手紙第13章10

パワーのポイント

● 愛はもろくも弱くも柔らかくもありません。愛は人生における前向きな力です！　愛はあらゆる前向きで良きものの源です。
● あなたがなりたいもの、したいこと、手に入れたいものは全て愛により実現します。
● 愛の前向きな力は良きものを創造し、増やし、人生の後ろ向きのものを全て変えることができます。
● 毎日、どの瞬間にも、あなたは前向きな力を愛し、活用するか否かを選択しています。引き寄せの法則とは愛の法則のことです。それはあなたの人生において働いている法則です。
● 引き寄せの法則は愛の法則です。そして、この法則があなたの人生を動かしています。
● あなたが与えるものは何でも人生で戻って来ます。前向きなものを与えるとそれが戻ってきます。後ろ向きのものを与えると否定的なものを受け取ります。
● 人生は単に偶然生じるものではありません。つまり、あなたは全て人生で与えたものを受け取っているのです。

●あなたの思考や感情が良くても悪くても、そのどれもがこだまの様に自動的かつ正確にあなたに戻って来ます。

●素晴らしい人生を送っている人々は、自分達が愛さないものよりも愛するものについて、いつも考えたり話したりしています！

●その日の良いニュースについて話して下さい。自分が愛しているものごとについて話しましょう。するとあなたの愛するものがもたらされます。

●人には愛するものを考えたり話したりする無限の能力があります。ですから、あらゆる良きものを受け取る無限の能力を有しているのです。

●愛しなさい。なぜなら、あなたが愛する時、この世で最強の力を活用しているのですから。

感情のパワー

「感情がその秘密です」

ネヴィル・ゴダード（一九〇五〜一九七二）

ニューソート作家

あなたは感情の存在です

あなたは生まれた瞬間から何かを感じています。どの人もすべて同じです。人は睡眠時に顕在意識を止めることができますが、感情を止めることはできません。生きているということは命を感じることだからです。人は本質的に感じる「存在」であり、身体のすべての部分が生きていることを感じるように創造されているのも、偶然ではありません！

あなたはこの世のすべてのものを感じるために、視覚、聴覚、味覚、臭覚、触覚という感覚を備えています。それらは、見るものを感じ、聞くものを感じ、味わうものを感じ、匂うものや触るものを「感じる」感覚です。すべてを感じることができるように、身体中が感覚器官という見事な皮膚の層で覆われているのです。

あなたが一瞬一瞬、どう感じているかが何よりも大切です。というのは、あなたがこの瞬間、どのように感じているかということがあなたの人生を創造するからです。

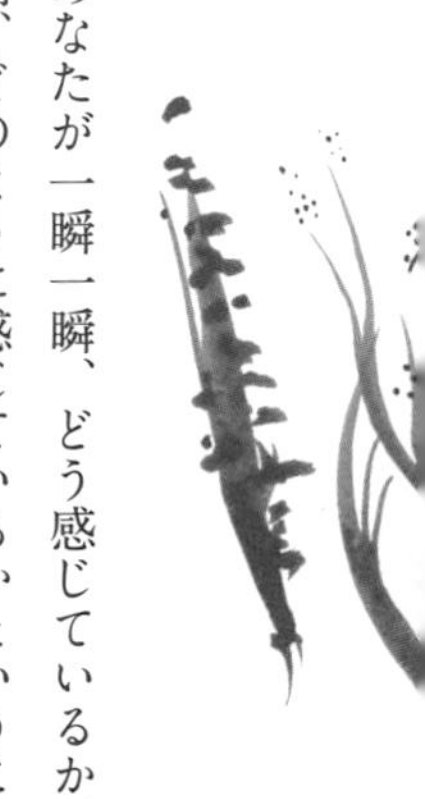

あなたの感情は燃料です

あなたの思考も言葉も感情がなければ何のパワーも持ちません。一日に抱くたくさんの思考が大きな結果をもたらさないのは、それらの思考が強い感情を湧き起こさないからです。あなたがどう感じるかということがとても重要です！

あなたの思考や言葉がロケットであり、あなたの気持ちがその燃料だと想像してください。ロケットは燃料なくしては、動けない静止した乗り物に過ぎません。燃料がロケットを打ち上げるパワーだからです。あなたの思考や言葉も同じです。あなたの思考や言葉もあなたの気持ちなくしては動かない乗り物と同じです。なぜなら、あなたの気持ちが思考と言葉のパワーだからです！

「私は上司に我慢ができない」と考えれば、それは上司に対して強い否定的な感情を表しているため、否定的な感情を発信していることになります。その結果、あなたと上司との関係はますます悪くなっていくでしょう。

「私は素晴らしい人達と一緒に働いている」と考え、そうした言葉を発すれば、職場の同僚に対して強い肯定的な感情を表現することになります。その結果、職場で同僚との関係はますます良くなっていくでしょう。

「思考に気持ちを込めるために感情を呼び起こさなくてはなりません。すると思考が形となって現れます」

チャールズ・ハーネル（一八六六〜一九四九）
ニューソート作家

良い感情と悪い感情

あなたの感情も人生の他のものと同様、肯定的にも否定的にもなり得ます。つまり、あ

愛
感謝
歓び
情熱
興奮
熱意
希望
満足
退屈
苛立ち
落胆
心配
批判
怒り
敵意
羨望
罪悪感
絶望
恐怖

なたは良い感情か悪い感情のどちらかを抱いています。素晴らしい感情は全て愛から生まれます！　逆に、否定的な感情は全て愛情不足から生まれます。あなたが歓（よろこ）びに満ちて良い気分でいる時には愛を放出しています。そして、たくさんの愛を与えれば与える程、より多くの愛を受け取るのです。

絶望して気分が落ち込んだ時は、否定的なものをたくさん出しています。あなたが否定的なものを出せば出す程、否定的なものが返ってきます。否定的な感情を抱くと気分が悪くなる理由は、否定的な感情の中には肯定的な力である愛がないからです！

良い気分でいると、あなたはより良い人生を手に入れることができます。

嫌な気分でいると、あなたが感情を変えるまで、人生はもっとひどいものになります。

気分が良いとあなたの思考も自動的に良くなります。気分が良い時、同時に否定的な思考を抱くことはありません！　同様に気分が悪い時に心地良い思考を抱くことはできません。

あなたがこの瞬間にどう感じるかは、その時あなたが何を発しているかを極めて正確に反映しています。心地良い時は、自ずと思考や言葉や行動が良くなるので、他の事を心配する必要がなくなります。ただ気分を良くすることだけで必ず愛が発信され、その発信した愛が全て自分に戻ってきます！

良いこととは良いことです

ほとんどの人は気分が良いとか悪いとかがどういうものかを理解していますが、自分が多くの時を後ろ向きの感情で過ごしていることに気付いていません。多くの人は不快になるということを極端に否定的になること、つまり、悲しみ、嘆き、怒り、恐怖といった感情を抱くことだと思っています。確かに不快な感情というのは、そのようなものなのですが、そうした否定的な感情には色々な程度があります。

普段、「オーケー（まあまあ）」と感じる人は、それは前向きな感情と思うかもしれません。なぜなら、それほどひどい気分ではないからです。あなたが、本当に気分が最悪だった後で「オーケー」と感じれば、それは気分が最悪だった時よりはずっと良いと言えます。

しかし、実はいつも「オーケー」と感じているのでは、それは否定的な感情です。オーケーと感じる程度では良い感情とは言えないからです。心地良い感情というのは本当に気持ちが良いという意味です！　心地良い感情を感じている時、あなたは幸せで喜びに溢れ、わくわく興奮し、情熱的なはずです。オーケーという程度に感じている、ごく普通に感じている、またはあまりこれといった感情を感じていないという場合は、あなたの人生も「オーケー」レベルで平均的で、大したことのないものになります。それでは素晴らしい人生とは言えません。素晴らしい気持ちというのは、本当に素晴らしい気分だということです。そして、素晴らしい気分でいることこそが、本当に良い人生をもたらしてくれるのです！

「愛の深さを知ることは無限の愛である」
クレルヴォーの聖ベルナール（一〇九〇～一一五三）
キリスト教修道士・神秘主義者

あなたが本当にわくわくしている時は、歓びを発信しているため、どこに行っても歓びに満ちた体験や状況に出会い、楽しい人々に囲まれます。たまたまラジオから大好きな曲が流れてくるというような些細な体験から、昇給というようなもう少し大きな体験まで、どれもあなたのわくわくした気持ちに引き寄せの法則が反応した結果です。あなたが苛立っている時には、苛立ちを発信しているため、どこに行っても、苛立つ体験や状況や人々に出くわします。一匹の蚊にイライラするといった小さな体験から、車の故障といったもっと大きな体験まで、全ては、引き寄せの法則があなたの苛立ちに反応した結果なのです。

愛は全ての良い感情の泉ですから、良い感情を抱けば愛の力とあなたが結びつきます。熱意や興奮、情熱的な気持ちというような感情は愛に由来し、それらを絶えず感じていれば、わくわくした情熱的な人生を送ることができます。

心地良い感情のボリュームを上げることによって、その感情の力を最大限まで利用することができます。感情のボリュームを上げるには、自らをしっかりと律し、意図的に気持ちを強めて下さい。すると、この上ない気持ち良さを感じることができるでしょう。わくわくした気持ちを強めるには、その感覚に浸りきり、その感覚に集中することによって、できる限りその感情を引き出して下さい。そうした気持ちを強めれば強めるほど、たくさんの愛を与えれば与えるほど、あなたの人生にはまさに驚くべきものが返ってくることでしょう。

あなたが心地良い気分でいる時、愛するものを探すことによって、更にその気分を強めることができます。私は毎日机に向かってこの本を書く前に、数分間、良い気持ちを高める時間をとりました。自分の快い気持ちをもっと大きくするために、愛するものを次々に思い浮かべました。家族、友人達、我が家、庭の花、天気、色、状況、出来事、その週、その月、その年に起こった良きことなど、愛するものを次々とあげていったのです。自分が感動するまで、心の中で次から次へと大好きなものを数え続けました。それから、この本を書き始めたのです。良い気持ちを強めることは、このように簡単で、いつでもどこでも実践できるのです。

あなたの感情はあなたが与えているものを反映します

あなたの人生における重要な分野で、これまであなたが良い感情を与えてきたか、それとも良くない感情を与えてきたかが分かります。あなたが自分の人生で、お金や健康、仕事や個人的な人間関係などについて、どういう感情を抱いているかは、それらに対してあなたが今まで与えてきたものを、そのまま反映しています。

あなたのお金に対する気持ちは、あなたがお金について発した感情の反映です。つまり、お金に不自由しているためにお金のことを考えると気分が悪くなるようであれば、あなたは否定的な状況を受け取り、お金の不足を体験せざるを得ません。あなたが否定的な感情をお金に与えたからです。

また、仕事について考える時、あなたが仕事に関してどう感じるかによって、あなたが仕事に関して、何を与えているかがわかります。自分の仕事を素晴らしいと感じているのであれば、それはあなたが受け取った肯定的な感情です。あなたが仕事に対して肯定的な感情を与えたからです。家族や、健康、その他あなたにとっての重要な問題に関して考える時、あなたがどう感じているかによって、あなたがそれぞれにどのような気持ちを与えているかがわかります。

「気分や感情に気をつけなさい。感情と目に見える世界との間には切り離せない関係があります」

ネヴィル・ゴダード（一九〇五〜一九七二）
ニューソート作家

人生はあなたに起きてくるのではありません。人生はあなたに対応しているのです！人生はあなたが招いたものです！　人生のすべてをあなたは招いているのです。あなたは人生の創造者で、あなたの人生物語の作家です。あなたはあなたの人牛映画の監督なのです。自分の人生がどうなるかは、自分がそれに何を与えるかで決まるのです。

快い感情のレベルには際限がありません。つまり、あなたは限りなく素晴らしい人生を享受できるのです。同時に、否定的な感情の程度も際限がないため、どんどん否定的になり得ます。ただ、悪い感情には我慢できないどん底の限界があるので、そこまでいくと、あなたは再び良い感情を選ばざるを得なくなります。

心地良い気持ちでいると気分は驚くほど快くなり、嫌な気持ちでいると気分が最悪になるのは決して偶然ではありません。愛とは人生を支配する最強のパワーです。そして、愛はあなたの素晴らしい気分を通してあなたに呼びかけ、引き寄せ、あなたが本来送るべき人生を送れるようにしてくれます。愛は悪い気分を通してもあなたに呼びかけます。悪い気分はあなたが人生の前向きな力から断ち切られていることを示してくれるからです！

全ては感情次第

人生の全てはあなたがどう感じるかで決まります。あなたが人生で下す決断はあなたがどう感じるかに基づいています。感情こそあなたの全人生における唯一の原動力なのです！

どんなことであれ、あなたが人生で何かを欲するのは、あなたがそれを愛していて、それがあなたの気分を良くしてくれるからです。同じように、欲しくないものは、それがあると、気分が悪くなるからです。

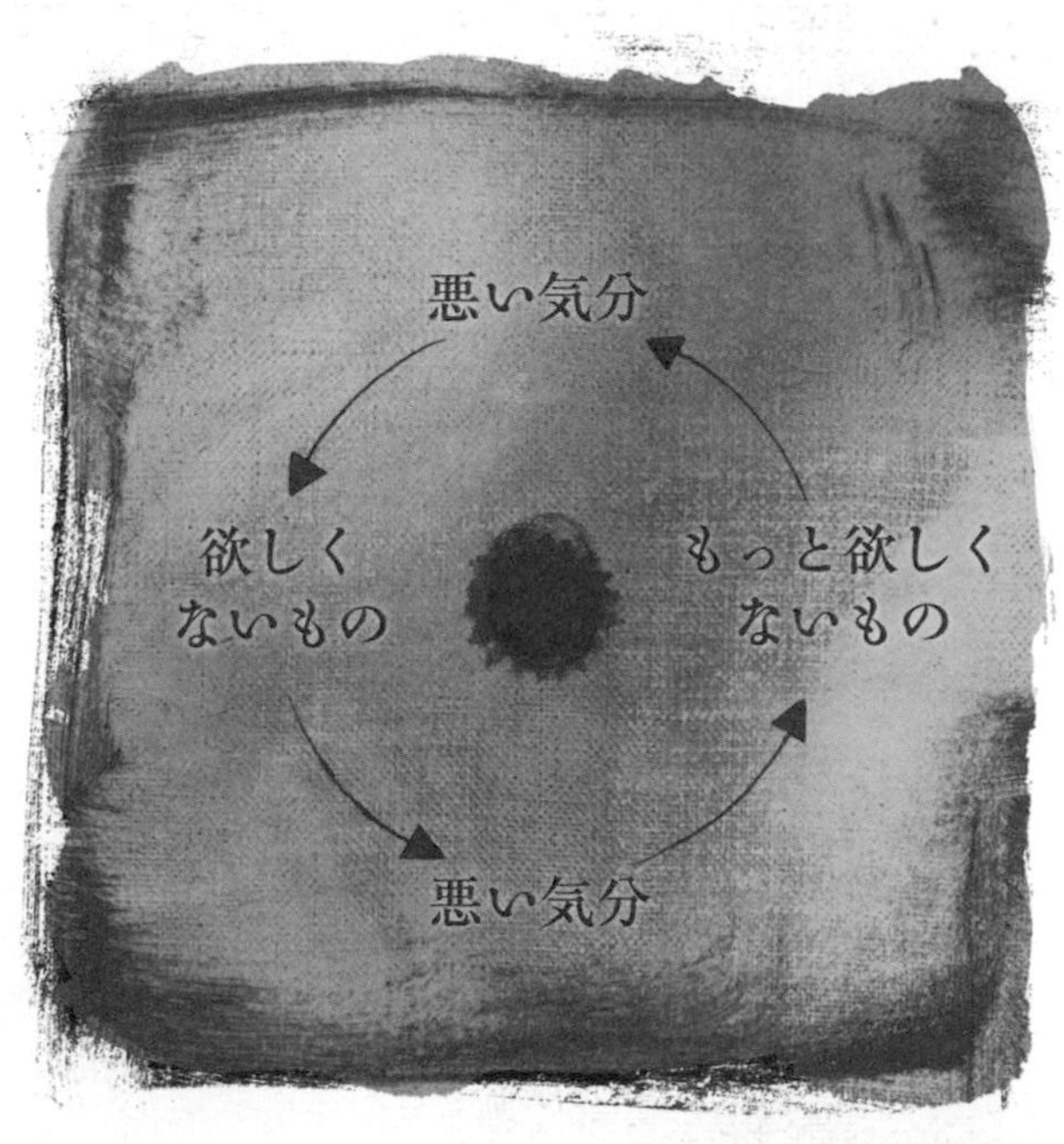

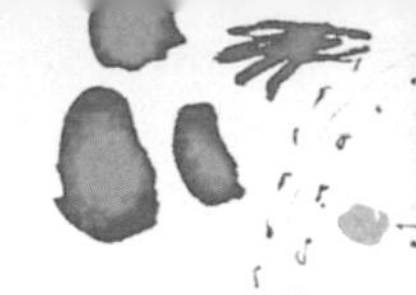

あなたが健康になりたいのは健康だと気分が良くなるからで、病気は気分を悪くします。お金を欲するのは、買い物をしたり、好きなことをしたりすると気分が良く、それができないと気分が悪いからなのです。素晴らしい人間関係を望むのは、それが気分を良くし、難しい人間関係は気分を悪くするからです。幸せだと気分が良く不幸せだと気分が悪いために、人々は幸せになりたいのです。

欲しいものを手に入れた時に感じる気分の良さが、それらを

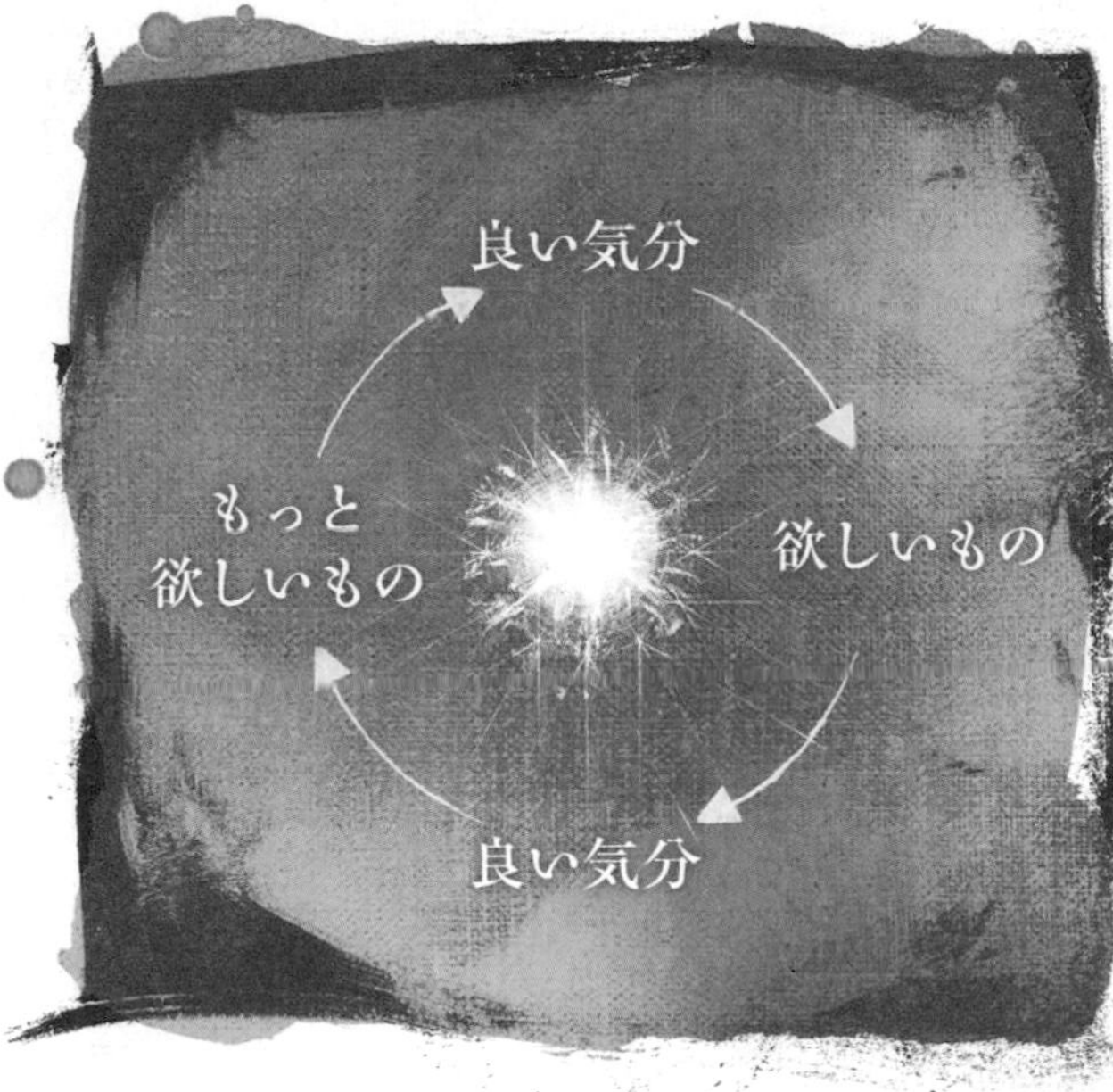

良い気分
欲しいもの
良い気分
もっと
欲しいもの

実際手に入れようとする動機になります！　あなたは人生で欲しいものをどのようにして手に入れますか？　心地良い感情によってです！　金銭があなたを欲しがります。健康が、幸せが、あなたが愛する全てのものが、あなたを欲しがります！　全てが突然あなたの所へやってくるのです。ただ、それらを手にするには、良い感情を抱かないといけません。自分の人生の状況を変えるために闘ったり、葛藤（かっとう）したりする必要はありません。良い感情を通して愛を与えるだけです。そうすると欲しいものが現れるのです！

良い感情を持つことで愛のパワー、つまり、人生の素晴らしいもの全てを得るパワーを使うことができます。良い気分を感じる時、あなたは欲しいものに近づいていることになります。良い気分は、あなたの人生も素晴らしくなると教えているのです！　そのためには、まず良い気分を放射しなければなりません。

今まで「素敵な家さえ手に入れば幸せになる」、「職に就けば、あるいは昇進したら幸せになる」、「子供たちが大学を卒業すれば幸せになる」、「もっとお金が手に入れば幸せになる」、「旅行できれば幸せになる」、「事業が成功すれば幸せになる」等と自分に言い聞かせて日々を過ごして来たならば、それらが実現することはないでしょう。そのような考え方は愛の作用の仕方に逆らい、引き寄せの法則に逆らっているからです。

幸せになるためには、まず最初に自分が幸せになり、次に幸せを人に与えてください。もし、あなたが人生で何かを手に入れたいならば、先ずそれを与えなければならないからです。ほかの方法はありません。あなたは自分の感情を支配できます。あなたは愛も支配できます。そして、その愛の力は、あなたが与えたものをなんでも、あなたに返してくれるのです。

パワーのポイント

- 一瞬一瞬にどう感じるかが他の何よりも大切です。なぜなら、今どう感じるかがあなたの人生を創っているからです。
- あなたの感情があなたの考えや言葉のパワーです。あなたが何を感じるかが重要です！
- 良い気分は全て愛から生まれます！　後ろ向きの感情は全て愛情不足が原因です。
- 心地良い感情の一つひとつがあなたを愛の力と結び付けます。なぜなら愛は良き感情全ての源泉だからです。
- あらゆる愛するものを想起することによって、良い感情を増幅しましょう。愛するものを次々と数え続け、自分が驚く程良い気分になるまでそれらを数え続けましょう。
- 人生の様々な問題について、どう感じるかはあなたがそれらの課題に何を与えて来たかを正確に反映しています。
- 人生は起きているのではなく、あなたに対応しているのです！　人生のあらゆる課題はあなたが招いたものであり、あなたが招いたものは全てあなたが与えたものなのです。

●気持ち良い感情に限界はありません。ですからあなたが受け取る人生にも限界はありません。

●あなたが愛する全てのものがあなたを求めています。金銭があなたを求めています。健康があなたを求めています。幸福があなたを求めています。

●人生の環境を変えようとしてもがいてはなりません。良い気分になって愛を与えるのです。すると望むものが現れます。

●まず最初に、良い気分を発することが必要です。幸せな気分になり、次にその幸せを与え、そして、幸せのかずかずを受け取って下さい。何かを人生で欲しいと思ったら、最初に与えなければなりません。

感情の周波数

感じることができれば、受け取ることができます

宇宙に存在する全てのものは磁気があり、全ては磁気の周波数を持っています。あなたの感情や思考にも周波数があります。良い感情の時、あなたはポジティブな愛の波動を出しており、悪い気分の時は否定的な波動を出しています。あなたの気分が良かろうと悪かろうと、あなたの感情があなたの周波数を決め、同じ波動の人々や出来事や状況を磁石のように引き寄せます！

あなたが情熱的になっていれば、その波動が情熱的な人々や状況や出来事を引き寄せます。あなたが恐れていれば、その恐れの波動が恐ろしい人々や状況や出来事を引き寄せます。あなたの波動は常にあなたが感じている気分そのものですから、自分が今、どのような波動にあるかは疑う余地なく明白です。自分の気分を変えさえすれば、いつでも周波数を変えられます。そして、あなたの新しい波動によって、あなたの周りにある全てのものが変わります。

あなたは日々の生活でいかなる状況にも身を置くことが出来ます。そして、その状況からは、ありとあらゆる結果が生じる可能性があります。それは、その状況に対して、あなたはどのような気分にもなれるからです。

人間関係も、満ち足りて最高に幸せで、あらゆる意味で気分の良い波動になることもあれば、一方、退屈でストレスや心配や後悔ばかりの憂鬱(ゆううつ)で悪い気分の波動になることもあります。その人間関係からどんなことでも起こる可能性があります！　そしてあなたがどう感じるかによって、その人間関係に何が起こるかが決まって来るのです。その人間関係に対してあなたが与える感情が、そのままその人間関係であなたが受け取るものなのです。もしあなたがその人間関係をいつも楽しいと感じるならば、あなたは愛を与えており、その人間関係を通して愛と喜びを受け取ります。それこそがあなたが放射している波動だからです。

「気持ちを変えることは運命を変えることです」

ネヴィル・ゴダード（一九〇五〜一九七二）

ニューソート作家

愛
感謝
歓び
情熱
興奮
熱意
希望
満足
退屈
苛立ち
落胆
心配
批判
怒り
敵意
羨望
罪悪感
絶望
恐怖

感情の波動のリストを見て下さい。人生の課題が何であれ、色々な感情の波動があることがわかるでしょう。その人生の課題に対して抱くあなたの感情によって、その結果が異なってくるのです！

人はお金に関して、ドキドキしたり幸福感や喜びや希望を抱いたり、また時には、心配したり、恐れたり、憂鬱になったりします。また、健康についても、心から喜んだり、情熱的になったり、幸せに感じたり、がっかりしたり、心配したりします。

これらはみな異なる感情の波動であり、自分が持っている感情の波動を、あなたはそのまま受け取るのです。

旅をしたいのに、お金がなくて落ち込んでいると、旅という課題に対してあなたは落ち込みを感じます。落ち込みを感じるということは、あなたが落ち込んだ波動を出しているということです。すると、あなたは落胆した状況をずっと引き寄せてしまい、自ら感じ方を変えるまでは永遠に旅行ができなくなります。愛の力はあなたが旅に行けるように色々と状況を動かしてくれます。しかし、それを受け取るためには、あなたは心地良い波動を出す必要があるのです。

その状況に対する感じ方を変えれば、あなたは異なる気分の波動を出しはじめ、その新しい波動に合わせるために状況は変化せざるを得ません。もし、人生で何かネガティブなことが起きても、あなたはそれを変えることができます。しかも遅すぎることはありません。いつでも感じ方を変えることはできるからです。愛するものを受け取り、また状況を好きなものへと変えるためには、それがどの様な課題であったとしても、あなたが感じ方を変えれば良いだけなのです！

「宇宙の秘密を知りたければ、エネルギー、波動、周波数の点から宇宙を考えなさい」

ニコラ・テスラ（一八五六〜一九四三）
ラジオと交流電流の発明家

反射的な反応をやめよう

多くの人々は良い感情が持つパワーについて知りません。そのために、自分に起こったことに対して、反射的に反応した感情を持ちます。彼らは自分の感情を自分で意識的にコントロールするのではなく、自動操縦にしているのです。たまたま何か良いことが起きれば気分が良くなり、悪いことが起きれば気分が悪くなります。そして、そうしたことが起きたのは実は自分の感情が原因だったことに気づいていません。起きたことに対して否定的な気持ちで反応すると、ますます否定的な状況を招きます。こうして彼らは自分の感情のせいで、一つのサイクルに囚(とら)われてしまいます。彼らの人生はまるで車輪の上のハムスターのようにくるくると同じ場所で回って、どこにも到達できない悪循環を繰り返します。それは、感情の周波数を変えなければ、人生を変えることができないことに気づいていないからです。

「重要なのはあなたに起きることではなく、起きたことにどう対応するかです」

エピクテトゥス（五五〜一三五）
ギリシアの哲学者

お金が不足していると自然とお金に対して良い感情は湧いてきません。しかし、お金に対する気持ちを良くしなければ、あなたのお金の状況は変わりません。お金に対して否定的な気持ちを放っていると、お金について否定的な波動に同調してしまい、多額の請求書が来たり、物が壊れて出費がかさみ、お金が底をつくというようなひどい状況に陥ります。多額の請求書に対してネガティブな反応をすると、お金に関して更に悪い感情を放射して、多額のお金を使い果たすような良くない状況がもたらされてしまいます。

一瞬一瞬があなたの人生を変えるチャンスです。それはあなたはいつでも感じ方を変えることができるからです。それ以前にどう感じていたかは関係がありません。自分が間違いを犯していたと思ってもそれは大丈夫です。感じ方を変えさえすればあなたは違う波動に同調し、即座に引き寄せの法則が働きはじめます。あなたが感じ方を変えさえすれば、過去は消えてしまいます。感じ方を変えた時、あなたの人生は変わります。

「後悔して一瞬たりとも時間を無駄にしないようにしよう。過去の過ちについて感情的になると、またそれに感染してしまうからだ」

ネヴィル・ゴダード（一九〇五〜一九七二）
ニューソート作家

愛の力に言い訳は不要です

日々の生活が愛するもので満たされていないとしても、あなたが良くない人で、愛のない人であるという訳ではありません。私たち一人ひとりの人生の目的は、愛を選択してネガティブな感情を克服することにあります。問題は、ほとんどの人が一日に何百回も愛することをやめてしまうことにあります。愛を与える時間が十分でないために、人生にすべての良きものがもたらされないのです。考えてみて下さい。愛する人と温かい抱擁をして愛を与えても、次の瞬間に鍵が見つからないとか交通渋滞で遅れるとか、駐車スペースがないとかして不快になり、愛することをやめてしまいます。職場の同僚と笑いあって愛を放っても、暫くして、近くの店で自分が食べたいランチが品切れでがっかりして、愛することをやめてしまいます。週末を楽しみにして愛を放っても、請求書が届くと愛をやめてしまいます。そのようにして、愛を与えては、次の瞬間には愛することをやめる、その繰り返しが一日中続くのです。

人の生活は愛を与え愛の力を利用しているか、そうでないかのいずれかです。自分がどうして愛さなかったか言い訳をしても、愛の力を使うことはできません。そんな言い訳や正当化は、人生を更に否定的にしてしまうだけです。自分がなぜ愛さなかったのか言い訳をすると、再び同じネガティブな思いを感じて、それをもっと放出してしまいます。

「怒りを抱くということは、誰かにそれを投げるつもりで熱い石炭を持っているのと同じことです。やけどをするのはあなたです」

ゴータマ・仏陀（紀元前五六三〜四八三）
仏教の創始者

人との約束で手違いがあって困った時にそれを相手のせいにして非難するのは、自分が愛を出していない言い訳としてそれを使っているだけです。しかし、引き寄せの法則はあなたの発したものを返してきます。非難すれば、人生において今度はあなたが非難されるような状況を引き起こしてしまいます。それは必ずしも非難した相手からという訳ではありませんが、間違いなく人から非難される状況を招いてしまうでしょう。愛の力に関しては言い訳などできません。あなたが与えたものを受けとる、それだけのことです。

どんな些細(ささい)なことも含まれます

非難や批判、人のあらさがしや不平不満などはいずれもネガティブなものです。それらは全て不和をもたらします。どんな小さな不平でも、何に対する批判でも、その瞬間に否定的なものを発しています。天候、道路状況、政府、パートナー、子供、両親、長い列、経済、食糧、自分の身体、仕事、顧客、ビジネス、価格、騒音、サービスなどに対する不平不満は些細でたいしたことではないと思うかもしれませんが、それらはあらゆる否定的なものを送り返してきます。

「ひどい」、「恐ろしい」、「うんざりする」、「辛(つら)い」というようなあなたが日頃使っている言葉を捨てましょう。というのも、そういう言葉を口にする時には、強い感情を伴っているからです。このような言葉を言うと、それが自分に戻って来てしまいます。つまり、それらのラベルを自分の人生に付けているようなものなのです！　それならば、「素晴らしい」、「夢のような」、「信じられないほど凄(すご)い」、「光り輝くような」、「立派な」等というような表現を使った方が良いと思いませんか？

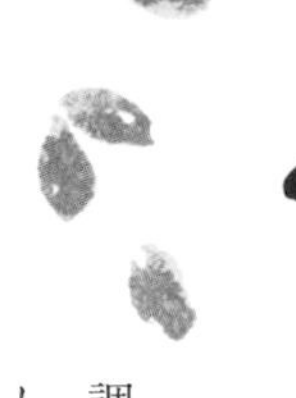

あなたは愛するもの、欲しいものを全て手にすることはできますが、そのためには愛と調和しなくてはなりません。それは、愛を与えない言い訳や正当化などはないことを意味します。言い訳や正当化は素晴らしい人生を送る妨げとなるのです。

「人の人生に与えたものがそのまま自分の人生に戻ってきます」
エドウィン・マークハム（一八五二〜一九四〇）
詩人

店員に不平を言った数時間後、隣人から電話がかかってきて、あなたの犬の吠え声がうるさすぎると文句を言われても、あなたはそれらを関連付けたりはしないでしょう。友人と一緒に昼食を食べながら、共通の友達の悪口を言った後、職場に帰ると大切な顧客との間に深刻な問題が起きていることがわかったとしても、それらが関連しているとは思わないでしょう。夕食時に嫌なニュースを話題にした夜に、お腹が苦しくて寝られなかったからといって、この二つを関連付けたりはしません。

誰かが道端で落としたものを立ち止まって拾ってあげた事と、その10分後にスーパーの駐車場に簡単に空きを見つけた事を関連付けたりはしないでしょう。子供達の宿題を手伝った翌日、予想以上の税金が還付されると聞いても、それが関係しているとは思わないでしょう。友人を助けた同じ週に、上司からある競技への無料招待券をもらったとしても、それらを関連付けたりはしないでしょう。人生の全ての状況や瞬間に、自分では何も関連がないと思っても思わなくても、実際にはあなたは自分が与えたものを受け取っているのです。

「外からやってくるものはありません。全てのものは内側から来るのです」

ネヴィル・ゴダード（一九〇五～一九七二）
ニューソート作家

感情の分岐点

肯定的な思考や感情を五〇パーセント以上放出するとちょうど分岐点に達します。もし、五一パーセントでも良い考えを抱くと、人生の天秤（てんびん）が良い方向に振れます！　そして、その理由は次の通りです。

愛を与えると好ましい状況としてその愛が自分に戻ってくるだけでなく、それと同時にもっと多くの愛と望ましいものが加えられます。新たな望ましいものはさらにもっと多くの望ましいものを引き寄せて、あなたの人生にもっと多くの愛と素晴らしいものを付け加えます。全てのものは磁石であり、素晴らしいものがあなたに近寄ってくると、それはもっと素晴らしいものを引き寄せるのです。

あなたも「幸運続き」とか「うまくいっている」と思った時に経験したかもしれませんが、素晴らしいことが次々と起こる時は、良いことがどんどん起き続けるものです。こうしたことが起こる唯一の理由は、あなたが否定的なものよりも多くの愛を送り続けたからです。そして愛があなたに戻ってくると同時に、それはより多くの愛をあなたの人生にもたらし、それがさらにより多くの良きことを引き寄せたのです。

その逆も体験したことがあるかもしれません。つまり、何かが上手くいかないと、他のことも次々に上手くいかなくなります。そのようなことが起きたのは、あなたが愛ではなく否定的なものをより多く放射した結果、それがあなたに戻ってくると同時に、さらに否定的なものをあなたの人生に付け加え、さらにそれが次の否定的な物事を引き寄せたからです。そういう時をあなたは「不運続き」と呼ぶかもしれません。しかし、実際にはそれは運とは全然関係がありません。引き寄せの法則があなたの人生に作用して、良い時も悪い時も、あなたが放射した愛と否定的な感情との割合を正確に反映しただけなのです。「幸運続き」や「不運続き」が終わったとしたらその唯一の理由は、ある時点であなたの感情の天秤が逆の方向に振れたからです。

「こうしてあなたは魅力的な人生を送り、全ての危害から永遠に守られます。そして、あなた自身がポジティブな力となり豊かさと調和の取れた状況を引き寄せるのです」

チャールズ・ハーネル（一八六六〜一九四九）
ニューソート作家

人生を変えるには、良い思考や感情を通して愛を五一パーセント与えて、天秤の傾きを変えることです。ネガティブなことより多くの愛を与え、愛が半分以上の目盛りまで達すると、引き寄せの法則が作用して、その愛はもっと多くの愛を引き寄せながら何倍にも膨らんで戻ってきます。すると突然、素晴らしいことが何倍にも加速化して体験できるのです！　ネガティブなものが加速度的に生じて何倍にもなっていく代わりに、今やあなたの

あらゆる人生の分野でたくさんの良いことがもたらされ、どんどんそれが増えてゆきます。本来あなたの人生はそうあるべきなのです。

毎朝目を覚ますと、あなたはその日の分岐点に立っています。一方は幸せ溢(あふ)れる素晴らしい日になり、他方は問題だらけの一日になります。どちらになるかを決めるのはあなたです。あなたがどういう気分でいるかによるのです！　あなたの気分の状態がその日あなたが与えるものを決め、その日あなたは同じものを受け取り、どこに行こうとあなたはそれに取り囲まれるのです。

幸せな気分で一日を始め、そのまま幸せな気分を保つと、その日一日は最高になります！　一日を悪い気分で始め、そのまま気分を変えようとしないと、その日は全くひどいものになるでしょう。

素晴らしい気分の一日はその日だけを変えるのではなく、翌日、更にはあなたの人生まで変えます！　その素晴らしい気持ちを持ち続け、良い気分で寝付けば、翌日も勢いのある最高の気分で始まります。できる限り幸せな気分でい続けるように心掛けると、引き寄せの法則でその気分は持続し、来る日も来る日も良い気分が続いて、あなたの人生はどんどん好転していきます。

「今日を生きなさい。昨日や明日を生きるのではありません。今日だけです。この瞬間を生きなさい。生きることを明日まで延ばしてはなりません」

ジェリー・スピネッリ（一九四一〜）
児童作家

あまりにも多くの人々が今日のために生きているのではなく、明日のことを気にして生きています。しかし、今日どう生きるかで将来が決まるのです。大切なのは、今日どう感じるかだけです。あなたの未来を決める唯一のものは、それだからです。毎日が新しい人生のチャンスです。なぜなら、毎日毎日あなたは人生の新しい分岐点に立っているからです。そしてどの日でも、気分の持ち方次第で将来を変えることができます。良い気持ちの方にバランスを傾ければ、あっという間に愛の力が人生を変えてくれるでしょう。

パワーのポイント

●宇宙の全てが磁石であり、あなたの思考や感情も含めて全てのものが周波数を持っています。

●あなたが感じていることが、その善し悪しは別として、あなたの周波数を決め、同じ周波数を持つ人々や出来事や状況を引きつけます。

●感じ方を変えることで、あなたの周波数を変えましょう。あなたが新しい周波数を持つと周りの全てが変わります。

●もし人生で何か悪いことが起きても、それを変えることができます。遅すぎるということはありません。なぜならあなたはいつでも感じ方を変えることができるからです。

●多くの人は感情を自動操縦任せにしています。つまり、その人々の感情は自分に起きたことへの反射的な反応に過ぎません。しかし、彼らは自分達に起きたことの原因が自分の感情であることに気付きません。

●金銭事情であれ、健康や人間関係、或い（ある）はその他の事情であれ、それらを変えるには、あなたの感じ方を変えなければなりません！

●非難、批判、あらさがし、そして不平不満は全て否定的なものの現れです。それらがもたらすものは争いだけです。

●「ひどい」「恐ろしい」「うんざりする」「辛い」等の言葉を捨てなさい。その代わり「素晴らしい」「夢のような」「信じられないほど凄い」「光り輝くような」「立派な」等の言葉を使いましょう。

●たとえ五一パーセントの良い思考や感情だけしか与えなかったとしても、あなたは人生という天秤の分岐点を越えたことになります。

●毎日が新しい人生のチャンスです。毎日あなたは人生の分岐点に立っています。そして、いつでも感じ方を通してあなたは未来を変えることができます。

ザ・パワーと
創造

「人生の一瞬一瞬は限りなく創造的であり、宇宙は限りなく豊かです。十分明確な要望を出しさえすれば、あなたの心が望むものは全てもたらされます」

シャクティ・ガウェイン（一九四八〜）
作家

これからの各章では、お金、健康、仕事、ビジネス、人間関係、或い（ある）は、あなたが欲するものに対して愛の力を利用することがどれだけ簡単かを学びます。この知識を使えば、あなたの人生を思い通りに変えることができます。

特定の要求を叶（かな）えるためには、簡単な「創造のプロセス」に従って下さい。あなたの欲しいものを手にすることも、欲しくない状況を変えるのも、そのプロセスは同じです。

創造のプロセス

それを想像し、感じ、そして受け取って下さい。

1　想像する

あなたの欲しいものに意識（マインド）を集中し、それを想像して下さい。その望みを実現した自分を想像して下さい。あなたがやりたいことをやっている姿を想像しなさい。欲しいものを手にしているところを想像しなさい。

2　感じる

想像すると同時に、その想像しているものに愛を感じなくてはなりません。その望んでいるものと一緒にいる自分を想像し、感じなくてはいけません。やりたいことをやっている姿を想像し、感じなくてはなりません。欲しいものを手にしている自分を想像し、感じなくてはなりません。

想像があなたと欲しいものを結びつけてくれます。あなたの望みと愛の感覚が磁力を生み出し、あなたが欲しいものをもたらします。この「創造のプロセス」におけるあなたの役割はここで終わります。

3 受け取る

愛の力はあなたの望みのものをあなたにもたらすために、自然の目に見える力と見えない力の双方を使います。状況、出来事、人々を通して、あなたに愛するものをもたらしてくれるのです。

何かを望む時は心からそれを欲しいと思う必要があります。願望は愛なのです。心の中で燃えるような願望がなければ、愛の力を利用することはできません。スポーツ選手が運動したいとか、ダンサーが踊りたいとか、画家が絵を描きたいと心から望むように、欲しいものを心から望まなければなりません。願望は愛の感情ですから、好きなものを受け取るには、心の底から欲しいものを望み、先(ま)ず愛を与えなくてはなりません！

人生でなりたいものが何であれ、したいことが何であれ、手に入れたいものが何であれ、「創造のプロセス」は同じです。愛を受け取るには愛を与えて下さい。想像しなさい。感じなさい。そして受け取って下さい。

「創造のプロセス」を使う時には、欲しいものがすでにあるかのように想像して感じて下さい。決してその状態から逸脱しないで下さい。それはなぜでしょうか？　引き寄せの法則はあなたが与えるものを真似するからです。ですから、今、それをすでに手に入れ、すでにここに存在しているように感じなくてはなりません！

減量したければ、重過ぎる体重を思い悩んで日々を過ごすのではなく、あなたの理想とする体型を想像し、感じて愛を与えて下さい。もしも旅行に行きたければ、お金がなくて旅行ができないと毎日思う代わりに、旅行をしている自分を想像し感じて愛を与えて下さい。スポーツ、演劇、歌、楽器の演奏、趣味、仕事でもっと上手になりたければ、上手になった自分を思い浮かべ、その気分を感じて、理想の自分に愛を与えて下さい。誰かと良い結婚や恋愛をしたければ、そのような人間関係にある自分を想像し、その時の気分を感じて愛を与えて下さい。

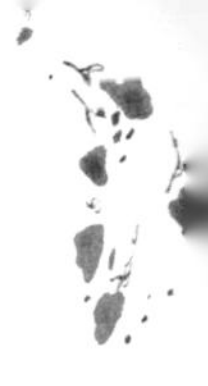

「信仰は、まだ見えないものを信じることです。この信仰の報酬はあなたの信じるものが見えるようになることです」

ヒッポの聖アウグスティヌス（三五四〜四三〇）

神学者・カトリック司教

「創造のプロセス」を使い始めると、何か変わったものを引き寄せてみたいと思うかもしれません。特別に変わったものを引き寄せ、それを受け取ると、あなたは自分自身のパワーを確信するでしょう。

若い女性がある特種な花、白いオランダカイウ（カラーの花）を引き寄せることにしました。その花を手にして、香りを嗅いでいるところを想像し、そのオランダカイウを手にしているのを感じました。その二週間後に友人の家に夕食に招かれたところ、その食卓の中央にオランダカイウの花束が飾ってあったのです。まさに、彼女が想像した色と香りでした。彼女はそのオランダカイウを見て興奮したのですが、その花を想像していたことは友人には話しませんでした。その夜、玄関の外に出ると、その友人のお嬢さんが彼女に一輪の白いオランダカイウの花を花瓶から取り出し、彼女の手に渡したのでした！

「想像が創造の始まりです。心から欲しいものを想像し、想像するものを望み、最後にその望みを創造するのです」
ジョージ・バーナード・ショー（一八五六〜一九五〇）
ノーベル文学賞受賞劇作家

与えなさい、そして、それを受け取りなさい

「何を与えたとしても、それを受け取る」という引き寄せの法則を思い出して下さい。引き寄せの法則を鏡やこだまやブーメランやコピー機だと思えば、あなたが想像して感じたりするものがもっと明確になるでしょう。引き寄せの法則は鏡のようなものです。鏡はあなたの前にあるものをそのまま映しだすからです。この法則はこだまのようなものです。発信したものをそっくりそのままあなたに戻してきます。この法則はブーメランのようです。どのブーメランを投げようと、同じブーメランがあなたに戻ってくるからです。引き寄せの法則はコピー機のようなものです。あなたが発信するそのままが複写され、あなたはそれと全く同じコピーを受け取るからです。

数年前に仕事でパリにいた時のことです。街を歩いていたら、パリジェンヌ風の洗練されたデザインのスカートを穿(は)いた女性が私の横を慌てて通り過ぎて行きました。そのスカートは私がそれまで見たこともないほど素敵でした。その時の私の反応は「なんて美しいスカートなのかしら！」とスカートに対する愛でした。

その数週間後に、私はオーストラリアのメルボルンにいました。幸せな気分で職場に向かって運転している時、他の自動車が交差点で違法なUターンをしたので、私も止まらざるを得ませんでした。その時見たお店のウィンドウに、パリで見たのと全く同じスカートが飾ってあったのです。その時、私は自分の目を信じることができませんでした。職場に着いて、そのお店に電話で問い合わせると、そのデザインのスカートはヨーロッパからたった一点だけ入荷し、それがあのウィンドウに置いてあるものだとわかりました。もちろん、そのスカートは私にぴったりのサイズでした。そのスカートを購入するためにお店に行くと、何と半値になっていました。店員の話では、それは注文しなかったのに、注文したものの中に偶然入っていたのだということでした！

そのスカートを私が引き寄せたのは、何といっても愛の仕業です。色々な状況、出来事を通して、パリからメルボルン郊外にいる私に全く同じスカートが届けられたのです。これこそが愛の磁力なのです！　それが愛の引き寄せの法則が働いた結果なのです。

想像

「この世界は私達の想像のカンバスに過ぎません」

ヘンリー・デイビッド・ソロー（一八一七〜一八六二）
超絶主義者・作家

あなたが愛し、欲しいと思うポジティブなものを想像する時、愛の力を使っています。何かポジティブなものや素晴らしいものを想像しそれに愛を感じれば、それを与えていることになります。するとそれを受け取るのです。それを想像し感じることができれば、それを受け取れるのです。しかし、あなたが想像するものは愛に基づいていなくてはなりません！

何を想像するにしても、それが他の人を傷つけるようではいけません。他の人を傷つけるような想像は愛からではなく愛の欠如から来るものです。何かネガティブなことを想像したただけでも、同じような残忍さで、それは想像した人に戻ってきます。あなたが与えるものが何であれ、あなたが受け取るのです。

愛と想像の力の素晴らしさについてお話ししたいと思います。愛の力があなたにもたらすものに比べれば、あなたが考え得る最高だと思えるものでさえ、たいしたものではありません。愛は無限です。もし、生命力と幸福感に満ちた情熱的な人生を送りたければ、愛の力はこれまでに経験したことがないほどの素晴らしい健康や幸福を、あなたにもたらしてくれます。この話をしているのは、あなたが想像力の限界を乗り越え、また、あなたの人生に限界を設けるのをやめることができるようになってもらうためです。想像力の限界を押し上げて、なんであれできる限り最高で素晴らしいものを想像してください。

苦しんでいる人と幸せな人生を楽しんでいる人の違いはたった一つです。それは愛があるか無いかです。幸せな人生を歩んでいる人は欲しいものを想像し、その想像に他の人よりもずっと多くの愛を感じているのです！　苦悩し葛藤（かっとう）している人々は無意識のうちに、愛してもいないし、欲しくもないものに自分の想像力を使い、それに否定的な面を感じています。話はそれほど簡単なのです。しかし、その違いは人々の生活に大きな差を生みます。そして、その差はあらゆるところで目にすることができます。

「優れたマスターの秘密は全て想像力の使い方にあります」

クリスチャン・D・ラーソン（一八七四〜一九六二）

ニューソート作家

歴史は、勇気を持って不可能なことを想像した人々が人類の限界を乗り越えた人々であることを証明しています。科学、医学、スポーツ、芸術、技術等全ての分野において人類は努力を積み重ねてきましたが、出来ないとされていたことを想像した人々の名が歴史に刻まれて来ました。自分の想像の限界を超えることによって、彼らは世界を変革したのです。

あなたの全人生はこれまでにあなたが想像した通りになっています。あなたの所有物も所有していない物も、また、あなたの置かれた全ての状況や環境も、あなたがこれまでに想像したものです。問題は往々にして最悪の事態を想像してしまうことです。多くの人々はもっとも素晴らしい方法を自分の敵にしているのです。彼らは恐れから、最高のものを想像するのではなく、うまく行かない場合のことばかりを想像してしまいます。うまく行かないだろうと想像し続けると、まさにその通りになります。あなたは自分が与えるものを受け取るのです。人生のあらゆる面で最高に素晴らしいことを想像し、感じて下さい。

なぜなら、愛の力にとって、人が想像しうる最高のものでさえも実現するのは「簡単なこと」なのですから。

私の家族がアメリカ合衆国に落ち着いてしばらくしてから、十五歳の愛犬キャビーも飛行機に乗せて、私達の元へ連れてきました。キャビーの到着後間もなくの、ある晩、キャビーが柵の小さな穴から外に逃げ出しました。私達の家は山を背に建っていて、理想とは程遠い

ませんでした。

環境でした。暗闇の中で私達は通りや山に続く小径を捜しましたが、キャビーは見つかりませんでした。

キャビーがなかなか見つからないので、私と娘はネガティブな不安感に襲われ始めました。その時、私は探すのをやめて、自分達の感じ方をすぐに変えなくてはならないことに気付きました。私達が最悪の事態を想像していること、そして感じ方をすぐに変えて最善の結果を想像しなければならないことを、ネガティブな感情が教えてくれたのです。その時点ではあらゆる結果が生じ得ました。だから私達はキャビーが家にいるところを想像し、感じることによって、彼が私達と一緒に安全に帰宅できる結果を選択しなければならなかったのです。

家にもどってから、私達はまるでキャビーが一緒にいる様に振る舞いました。彼のボールに餌を入れました。キャビーが廊下を歩き、首輪の鈴が鳴っているのを想像しました。彼がまるでそこにいるように、話しかけ、名前を呼びました。私の娘は、十五年来のベストフレンドがいつもそうしたように、キャビーが自分のベッドの横で寝ている姿を想像したのです。

翌朝早く、山の麓のある木に「小さな犬を発見した」という張り紙に気付きました。キャビーのことでした。そして、私達が想像した通りに、キャビーは無事に帰還したのです。

あなたがどんな困難な状況にあったとしても、最高の結末を想像し、感じてください。そうすると、周囲の事情が変わり、あなたが望むような状況がもたらされます。

あなたが想像できるものはすべて実在します

「創造とは既に存在するものを形として投影することである」

スリマッド・バーガラタム（九世紀）
古代ヒンズー教の文書

あなたが想像できる願望は、すでに存在しています！　それが何であるかは関係ありません。それを想像さえできれば、すでに創造されて存在するのです。

全ての創造は完結し、創造可能なものはすでに存在すると、五千年前の古代の聖典には記されています。それ以降五千年が経過した今、量子物理学が全てのもののあらゆる可能性は今この瞬間、すでに存在していることを確認しています。

「こうして天と地と、その万象とが完成した」

創世記　第2章1

それはつまり、あなたが自分で想像できるものは全て、あなたの人生にすでに存在しているということです。存在しないことを想像することはできません。創造はすでに完了しています。全ての可能性が存在します。従って、世界記録を破るとか、極東に旅行するとか、元気溌剌（はつらつ）になるとか、親になるとかをあなたが想像する時、それが実現する可能性は、今この瞬間にすでに存在しているのです！　すでに存在していなければ、それらを想像することはできません！　あなたが望み、愛するものを目に見えない世界から目に見える世界にもたらすには、想像力と感情を通して、欲しいものを愛するだけで良いのです。

望み通りの人生を想像してみましょう。あなたの欲しいものを全て思い描いてみましょう。毎日その想像を持ち歩き、人間関係が素晴らしければどんなに良いかを想像して下さい。仕事に調子が出てきたらどんなふうに感じるかを思い描いて下さい。好きなことをするのに十分なお金があれば人生はどうなるか、輝く程の健康な体であったらどんなに素晴らしいか、やりたい事が全てできたらどんな感じかを想像して下さい。やりたい事を全部できたならば、どのように感じるか想像してください。あなたはイタリアに旅行したければ、オリーブの香りを想像し、パスタを味わい、イタリア語で話しかけられ、コロシアムの石を触る様子を想像し、イタリアにいる気分を味わいましょう！

誰かとの会話や一人で考える時に「……かもしれないと想像してごらんなさい」と……のところに欲しいものを入れて言ってみるのです！　同僚が昇進したのに、自分は据え置かれたと友人がこぼしていたら「あなたが昇進しなかったのは、もっと高給で重要な役職に昇進するからかもしれないと想像してごらんなさい」と言ってあげましょう。実際、その友人が、高給の役職につく可能性はすでに存在しているのです。そして、彼がそれを想像し感じることができれば、それを受け取ることができるのです！

「原子や素粒子そのものは形を持ってはいません。つまり、それらは物とか事実と言うより潜在性や可能性の世界を形成しているのです」

ウェルナー・ハイゼンベルク（一九〇一〜一九七六）
ノーベル物理学賞受賞量子物理学者

あなたの創造力を使い、楽しみ、心から良い気分になってみましょう。あなたが想像できるものは全て、見えない世界で既に創造され、そこであなたを待っているのです。それを物質化するには、あなたが望み愛することを感じることによって愛の力を使えば良いのです。

ある若い女性が大学卒業後、仕事を得るために何ヶ月も苦労しました。仕事がないのに仕事に就いている自分を想像することは彼女にとっては一番難しいことでした。毎日の日記に自分の元にやってきつつある仕事への感謝を書くのですが、それでも仕事はやってきませんでした。すると彼女はあることに突然、気付きました。彼女が必死になって、次々と求職活動しているのは、引き寄せの法則からみれば、大声で仕事がないと言っていることに等しかったのです。

そこでこの若い女性は次のようにして状況をすっかり変えました。彼女は想像力を使って既に就職しているかのように生活しました。毎朝通勤しているように、目覚まし時計を早くセットしました。これから得る仕事への感謝を日記に綴る代わりに、職場での成功や同僚にどんなに感謝しているかについて書きました。毎日着ていく洋服を準備し、振り込まれる給与のための預金口座も開設しました。それから二週間も経つと、本当に仕事に就いている気分になりました。すると突然、友人が仕事があると知らせてくれたのです。彼女は面接に出かけ、仕事を得ました。そして、日記に書いてきたことを全て受け取ったのでした。

小道具で周囲の環境を整えましょう

「他の人や物、或いは周囲の状況や環境の言う通りに考えることを自分に許す時、あなたは自分の望みに従っていません。あなたの願望は借り物であって、本当の願望に従っていません。自分が何をしたいか、考えたいか決める時には、あなたの想像力を使って下さい」

クリスチャン・D・ラーソン（一八七四〜一九六二）
ニューソート作家

「創造のプロセス」を使う時には、自分の欲しいものを既に現実化したという感じを盛り上げるために使えるものは全て活用しましょう。それが手に入ったことを想像し感じることができるように、衣服や絵、写真や関連する物を周りに置きましょう。

新しい洋服が欲しい場合には、洋服ダンスにちゃんとそれをしまう場所とハンガーがあることを確認しましょう。もっとお金が欲しい時に、あなたの財布にそれを入れるだけのスペースがありますか？　もしかして、無関係の紙切れが一杯つまっていませんか？　理想的なパートナーが欲しい場合には、その人と一緒にいるところを想像し感じなくてはなりません。あなたはベッドの真ん中に寝ていますか？　それとも、パートナーが隣に寝られるようにちゃんとベッドの半分に寝ていますか？　もしも、あなたがパートナーと一緒に住んでいたら、洋服ダンスも半分パートナーが使うため、あなたの分は半分ですよね？　テーブルの上に並べる食器は一人分ですか、二人分ですか？　あと一人分の食器を並べるのは簡単です。日頃の行動があなたの願望と矛盾しないように最善を尽くし、欲しいものが既にあるように感じるために色々な小道具を使って下さい。これらは小道具や想像力を使ってできる簡単で些細なことですが、信じられない程パワフルなのです。

ある女性はその小道具と想像力を使って馬を受け取りました。ずっと馬が欲しかったのにお金がなくて買えませんでした。彼女は栗色のモルガン去勢馬が欲しかったのですが、それは何千ドルもします。

それで、台所の窓から外を眺める度にそこに馬がいるところを想像しました。ノートパソコンのスクリーンに栗色のモルガン馬の写真を載せました。機会さえあれば、その馬をいたずら描きしました。その馬を買う余裕はなかったのですが、売りに出される馬を調べ始めました。また、子供たちをお店に連れていき、一緒に乗馬用のブーツを試しばきしました。鞍(くら)を見て楽しみました。その際、馬に掛ける毛布や、綱紐(つなひも)、馬用ブラシなど、買えるものだけを購入し、それを日に見えるところに置き、毎日それを眺めました。暫(しばら)くして、彼女は町で開かれた馬の博覧会に行きました。そこではくじ引きがあって、一等賞は彼女が欲しがっている栗色のモルガン去勢馬でした。そして言うまでもなく、彼女は一等賞を引いてその馬を手に入れたのです。

あなたの感覚も助けとなります。欲しいものを手にした気分を味わうために、役に立つ全ての感覚を使って下さい。欲しいものの感触を実際に肌で感じて下さい。それを味わい、匂いを嗅ぎ、目で見て、耳で聞くのです。

ある男性は仕事のオファーをたくさん得るために全ての感覚を使いました。彼は三年間に七十五もの職に申し込みましたがひとつも成功しませんでした。そこで、彼は想像力と五感を駆使し、夢に見た仕事に就いた自分を思い描いたのです。新しいオフィスを細かいところまで想像しました。想像の中で自分のコンピューターのキイに手を触れ、新しい大きなマホガニーの机を磨くクリームのレモンの香りをかぎました。また、彼の職場の同僚を想像して、名前まで付けました。彼らと会話し、会議をしました。ランチのタコスまで味わいました。七週間後にあちこちから面接のオファーが来ました。そして順調に二次面接の申し込みもいっぱい来ました。最終的には二つも素晴らしい仕事に合格しました。彼は一番好きな仕事をとりました。それは彼が夢に見た職業であったのはご想像の通りです！

「創造のプロセス」においてあなたが自分の役割を完全に果たすと、創造が完了するのです！　欲しいものが手に入っていない古い世界には、もはやあなたはいません。まだ目に見えなくても自分の欲しいものが全て揃っている新しい世界に引っ越したのです。誰でもその新しい世界に住むことができるのです！

パワーのポイント

●愛の力を活用して、欲しいものを手に入れ、望まない状況を変えるための「創造のプロセス」は常に同じです。つまり、イメージし、感じ、受け取るのです。

●想像力があなたとあなたが望むものを結びつけます。あなたの願望や愛の感情が磁力を創造し、あなたの望みを引き寄せてくれるのです。

●あなた自身が願望と共にいる姿をイメージしなさい。同時にあなたがイメージしているものに愛を感じなさい。

●欲しいものを心の底から願望しなさい。なぜなら、強い願望こそ愛の感情であり、あなたは欲しいものを手に入れるために愛を与えなければならないからです！

●何でもあなたが望み、愛するポジティブなものを想像する時、あなたは愛の力を使っているのです。その想像力を限界まで押し広げ、欲しいものが何であれ、可能な限り最良なものを想像しなさい。

●あなたがイメージできる願望が何であれ、既にそれは存在しています！　それが何であるかは問題ではありません。もしもそれをイメージできたら既に創造されているのです。

●友人との会話や自分で考える時「……だったら、と想像しましょう」とあなたが望むものを……に入れて言いなさい。

●小道具を活用しましょう。あなたの周りを衣服、絵画、写真などの関連する物で囲みましょう。そうするとあなたが欲しい物を既に手に入れた時の姿をイメージでき、その感覚を感じることができるでしょう。

●あなたの五感も小道具として活用しましょう。すると欲するものを既に手に入れた感覚を感じ易くなるでしょう。それを感じ、味わい、匂いを嗅ぎ、見て、聞くのです！

●あなたは「創造のプロセス」において自分の役割を果たすと新しい世界に引っ越したことになります。そこには、まだ見ることはできないまでも、欲するものはすべて存在しています。そして、あなたが間もなくそれを受け取るのです！

感情こそが創造

「感情が願望と食い違うときは、感情の方が正しいものです」

ネヴィル・ゴダード（一九〇五〜一九七二）
ニューソート作家

感情の磁場

幸せな気分で愛を与えると、どんなことが起きるか理解してください。本当に驚くほど素晴らしい事が起こります。あなたの感情が周囲に磁場を形成し、あなたを完全にとり囲みます。全ての人は磁場に囲まれていて、どこへ行こうともその磁場はあなたと共にあります。古い時代の絵で、人物の周りにそれと似たようなオーラや後光が描かれているのを見たことがあると思います。オーラは実は電磁場なのです。あなたは磁場を通して人生のあらゆるものを引き寄せているのです。そして、その磁場がポジティブなのかネガティブなのかを決めるのは、常にあなたの感情です！

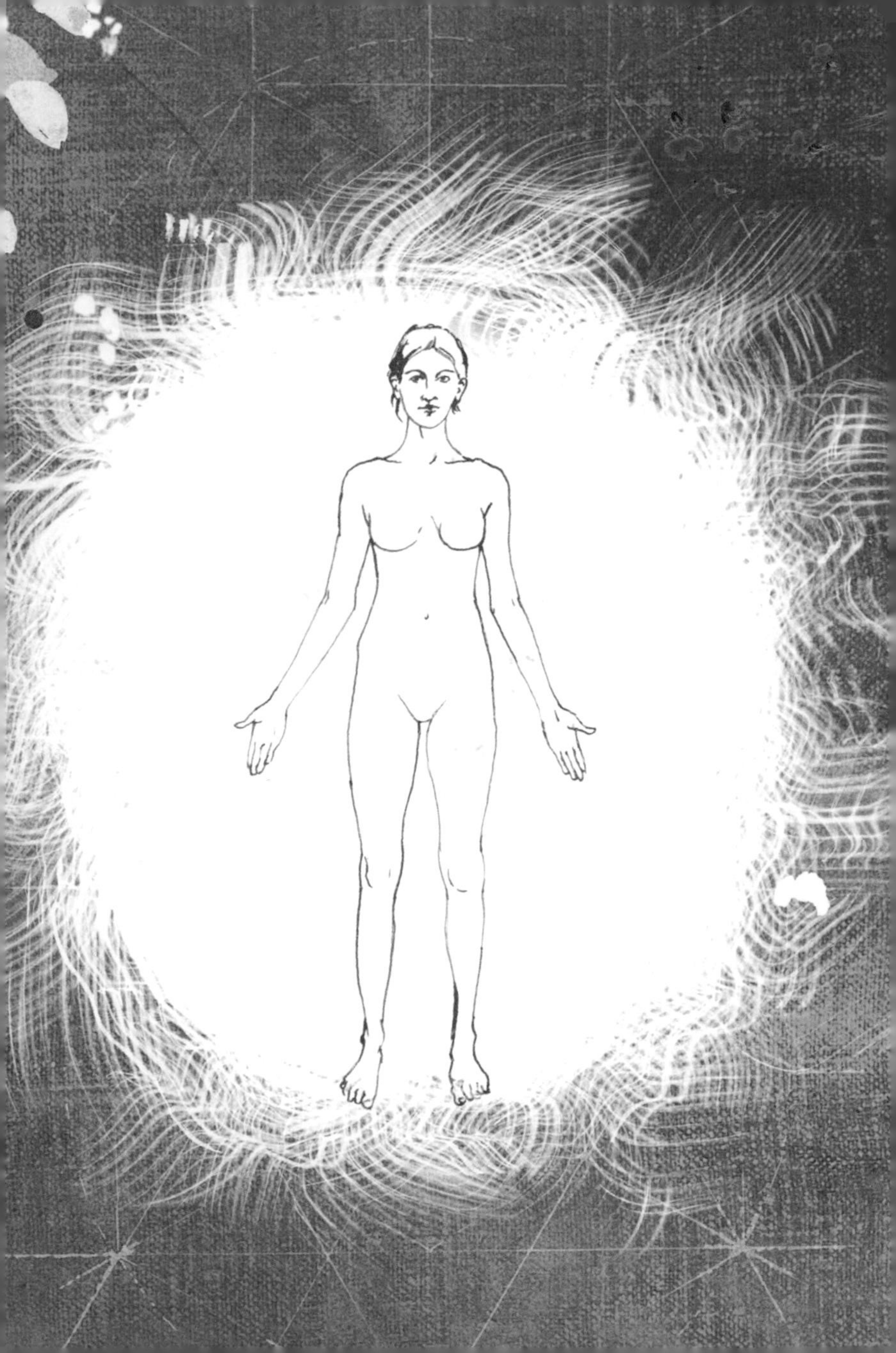

感情や言葉や行動を通して愛を与えるたびに、あなたは自分の周りの磁場により多くの愛を付け加えます。愛を与えれば与える程、あなたの周囲の磁場はより大きく、強力になります。あなたの磁場の中にあるものは何であれ、引き寄せをします。ですから、あなたの磁場に愛があればある程、愛するものを引き寄せる強力なパワーをあなたは持っています。あなたの磁場が非常に前向きで強力になって、素晴らしいことが閃いたり感じられたりすると即座にそれが現実化するところまで、あなたは到達することができます。それこそがあなたの持つ信じられない程のパワーなのです。そして、それが愛の力の驚異的なパワーなのです。

「あなたは考えたり感じたりする能力を通して、全ての創造を支配します」

ネヴィル・ゴダード（一九〇五〜一九七二）
ニューソート作家

愛がどれだけ早く作用するかを示す私の小さな体験をお話ししましょう。私は花が大好きで、毎週新鮮な花を手に入れるように努めています。花を見るとそれだけでとても幸せになるからです。通常、ファーマーズ・マーケットで花を買うのですが、たまたまこの週は雨のためそこがお休みで、花が手に入りませんでした。花がないと花の有難みが分かり、より深く花に愛を感じるので、時には花がないのも良いことだと、私は思いました。がっかりする代わりに、私は花に愛を感じる選択をして、私の磁場を花への愛で満たしました。

二時間後、私宛に花がたくさん入った大きな花瓶が配達されました。地球の反対側から私の妹が、私への感謝の意を込めて、この世で一番美しいと思われる花を贈ってきたのです。あなたが愛を与えれば、どういう状況であれ、その状況は変わらざるを得ないのです！

なぜ愛を選ぶことがそんなにも重要なのか理解して頂けたと思います。それは、愛を与えれば与えるほど、あなたの周りの愛の磁場を何倍にも増加することになるからです。日々の生活の中であなたが愛を与えれば与えるほど、磁場内の愛のパワーが強くなり、あなたの欲しいもの全てが足元に寄って来ることでしょう。

あなたが愛を与え続けると、あなたの人生は魔法のように変わります。かつての私の人生は今ほど魔法のように素晴らしくはありませんでした。苦悩と困難だらけだったのです。しかし私は人生に関する素晴らしい法則を発見し、この本で私が発見した全てを、皆さんと分かち合おうとしています。愛の力にとって大き過ぎるものはありません。距離が遠過ぎることも克服できない障害もありません。時間も邪魔にはなりません。この宇宙で最も偉大な愛のパワーを育てることによって、あなたは人生のどんなことでも変えることができます。あなたのすべきことは、愛を与えることだけです！

創造のポイント

往々にして、人々は欲しいと思うものをとても大きなものだと考えがちです。でもそのように思うのは間違っています。何かを本当に大きいと考えると、引き寄せの法則に対して「それは余りにも大き過ぎるので達成できないだろう、その上、時間がすごくかかるだろう」と言っているに等しいのです。あなたが考えること、感じることをあなたは受け取るからです。あなたが自分の望みが本当に大き過ぎると思うと、望みを叶えるのが遅れ、困難も生まれます。引き寄せの法則には大きいも小さいもありません。また、時間の概念もありません。

創造の本当の意味を理解するために、あなたの願望がどんなに大きく思えても、文章の

中の一つの点のような大きさだと思って下さい。あなたは家、車、休暇、お金、理想的なパートナー、夢に見た仕事、子供たちなどを望んでいるかもしれません。あるいは、完璧な健康体になりたいかもしれません。試験に合格する、特定の大学に入る、世界記録を破る、大統領になる、成功した俳優になる、弁護士や作家や先生になるなど、望んでいるかもしれません。あなたが何を望むにせよ、それをほんの小さな点ぐらいだと思って下さい。なぜなら、愛の力にとって、あなたの願望は点よりも小さいのです！

「疑うことは裏切り者であり、本来勝てるところを敗れさせる」

ウィリアム・シェークスピア（一五六四～一六一六）

英国の劇作家

あなたの信念が揺らいできたら、大きな円の中に点を描き、その横にあなたの願望を書いて下さい。愛の力と比べたら、あなたの願望は点ぐらいに小さいことを知るために、その図を出来るだけ頻繁に眺めて下さい。

否定的な面をどうやって変えるか

あなたが自分の人生に否定的なものを持っていて、それを変えたいと思う時も方法は同じです。変えたいものが変わったと思い、その気分に愛を込めて下さい。否定的なことは全て愛の欠如であることを思い出しましょう。従って否定的な状況の逆を想像しなくてはなりません。つまり愛のことです！　例えば、治したい病気がある場合は、自分の体は健康だと愛を注いで下さい。

何か否定的なものを「創造のプロセス」を使って変える場合は、否定的なものに変えようとする必要はありません。それは大変難しいでしょうし、それが正しい「創造のプロセス」でもありません。創造とは全く新しいものを生み出すことです。新しいものが生まれ自ずと古いものに取って代わるのです。変えたいことが何かを考える必要さえもありません。欲しいものに愛を与えれば良いのです。すると愛の力があなたのために否定的なものを置き換えてくれます。

もし、怪我をして医師の手当てを受けているのに、少しも良くならない場合は、あなたが完全な回復をイメージせずに、傷を負っている姿をより強く想像しているからです。そのバランスを回復の方向に傾かせるには、回復していない姿よりも完全に回復した姿をより強く想像し、体感すれば良いのです。あなたが完全に回復した姿を想像できるということは、それが既に存在することを意味しています！　何に対しても心地良い気分で対応し、自分の磁場を良い気分で一杯にして下さい。自分の人生の全ての領域を愛で満たすのです。出来るだけ良い気分になって下さい。愛を与える一瞬一瞬が完全な回復をもたらしてくれるからです。

「あなたの感情があなたの神様なのです」

チャーナキヤ（紀元前三五〇頃～二七五頃）

インドの政治家・作家

あなたが健康、お金、人間関係、その他何でも変えたいと思うなら、同じプロセスに従って下さい！　まず欲しいものをイメージします。それを手にしているところを思い浮かべ、その気持ちを味わって下さい。望む場面や情景の全てを出来るだけ思い描き、今そこにいるように感じるのです。毎日七分間で良いですから望むものを手にしている姿を想像し、感じます。望みが既に実現したと感じられるまで毎日続けて下さい。名前が自分に属するものだと知っている様に、その望みが自分のものだと感じるまで毎日続けて下さい。ものによっては一日か二日でそういう状態になれます。もう少し時間がかかるものもあるかもしれません。それが出来たら普通の生活を続け、出来るだけ愛を与え、出来るだけ心地良い気分を持ち続けて下さい。愛を与えれば与えるほど、それだけ早く望むものが手に入ります。

望むものを手に入れたと想像し、感じられるようになったら、あなたはまさしく想像した通りの新しい世界にいるのです。まだ治っていない傷について話をするなど、新しい世

界と矛盾することはしないで下さい。それをしてしまうと、再び最悪のものを想像して、古い世界に戻ってしまいます。最悪な事態か最善の事態かにかかわらず、それを思い描けばそれが現実化します。もしも誰かが、傷はどうですかと尋ねたら、「気分はもう一〇〇パーセント大丈夫です。体調もそれについて行っています」と答えて下さい。「初めて自分の体や健康に感謝できたので、むしろ怪我をして良かった」と言っても良いのです。もし勇気があれば、「あっという間に元気になるよ」と言いましょう。

嫌なことを話すと気分が悪くなります。普段、人は良い気分で過ごすことに慣れていないため、嫌な話をするとどれだけ不快な気分になるか分からないのです。自分の感情にもっと意識をあて、それを大切にすると、良い気分をわずかでも損なうことに我慢できなくなります。心地良い気分に十分慣れると、自分の感情が良く分かるようになり、落ち込みそうになるとすぐに気がついて、あっという間に良い気分に戻れるようになります。あなたは、本来素晴らしい人生を送るようにできています。そのためには常に気持ち良く幸せな気分でいて下さい。それ以外の方法で幸せにはなれません。

「私はどんな状況の下でも明るく幸せな気持ちでいようと決めました。なぜなら、私は自分の経験から幸、不幸は、まわりの環境ではなく、自分の気持ち次第であると知ったからです」

マーサ・ワシントン（一七三一〜一八〇二）
アメリカ合衆国初代大統領・ジョージ・ワシントン夫人

悪い感情を消し去るには

ほとんどのことは気持ちの持ち方次第で変わります。ある問題に対する気持ちを変えると、その問題は変わらざるをえません！　ただし、気持ちを変える時には、悪い気分を取り除こうとしないで下さい。悪い気分は単に愛がない状態だからです。そうではなくて、愛を注ぐのです！　怒りや悲しみを取り除こうとしなくてよいのです。愛を注げば怒りや悲しみは消えます。自分の中を探る必要はありません。自分に愛を注げば、悪い感情は自ずと消えていきます。

愛こそ人生における唯一の力です。良い気分は愛情で溢（あふ）れており、不快な気分には、愛

が少しもないからです。つまり、気分が良いか悪いかという人の感情は愛がどれだけあるかによるのです。

愛をコップの中の水だと思って下さい。そのコップがあなたの体です。そのコップに少ししか水がない時は、それは水がないということです。コップが空であることを言い争い、空であることをあばきたてても、水のレベルが変わる訳ではありません。空でなくするためにはそのコップに水を入れれば良いのです。悪い気分の時は愛が不足しています。自分に愛を注げば悪い気分はなくなります。

悪い感情に抵抗しないでください

悪い感情も含めてすべてのものに完璧な居場所があります。悪い感情なくしては良い気持ちを理解することはできません。比較するものがないと、いつも「つまらない」気分になってしまいます。本当の幸福がどういうものか、わくわく感とか喜びに満ちることがどういう気分か分からなくなります。悲しみを味わって初めて幸福感が分かるのです。悪い感情も人生の一部であり、それを取り去ることはできません。それなくしては良い感情は持てません！

悪い感情を持った時にそれを良くないことだと思うと、その悪感情に更にパワーを加えてしまいます。その悪い感情が更にひどくなるばかりではなく、あなたが放つ否定的な感情も増えてゆきます。悪い感情があなたの人生に何も良いものをもたらさないことが、やっと理解できたと思います。このことを理解すれば、あなたは悪い感情に支配されないようにもっと注意するようになるでしょう。あなたは自分の感情に責任があります。もし悪い感情があなたを支配しようとしたら、そこから抜け出る一つの方法は元気を出すことです！

「自分の内側に、思考と感情と力の世界、光と美の世界があります。それは目には見えませんが、その力は偉大です」

チャールズ・ハーネル（一八六六〜一九四九）
ニューソート作家

人生は楽しくなるようにできています！　楽しい時は、気分も最高で素晴らしいものがたくさんやって来ます！　人生をあまりにも真剣に考え過ぎると深刻なものがやって来てしまいます。楽しむことが望むものをもたらします。物事をあまりにも深刻に受け止め過ぎると、深刻なものばかりを受け取ります。あなたは自分の人生に対してパワーを持っており、それを使って人生を好きなように計画できます。でも、あなた自身のためにどうか元気を出しましょう！

不快な感情を明るいものにするために、私はそのような感情を暴れ馬だと想像することにしています。怒った馬、恨んでいる馬、文句ばかり言う馬、すねた馬、怒りっぽい馬、短気な馬など、馬小屋に気分の悪い馬がたくさんいます。もし、起こったことに落胆すると、私は自分にむかって「なぜ、がっかりした馬に乗ったの？　早く降りないと、もっとがっかりする所に連れて行かれるよ。そんな所には行きたくないでしょう？」と言い聞かせます。つまり、悪い感情を自分が乗る野生の馬にたとえると、自分が暴れ馬に乗った時は、またすぐに降りることもできます。悪い感情は本当の自分ではありません。悪い感情はあなた自身ではないのです。自分にそう感じるようにさせたものですから、その馬に乗った時と同じように素早く降りる選択をすることができるのです。

悪い感情を飛び乗った野生の馬と見なすことは、悪い感情からパワーを取り去る一つの方法です。周りで誰かすぐ怒る人がいたとしても、彼が単に怒りっぽい馬に飛び乗ったのだと思えば、その人の悪感情はあなたにさほど影響しないでしょう。それを個人的にとらえることもなくなります。でも、彼の悪感情を個人的にとり過ぎると、彼のいらいらが伝染して、怒りっぽい馬にその人と一緒に乗ってしまいます。

「理性的でない扱いに対しても理性的に対応しなさい」

老子（紀元前六世紀頃）
道教の創始者

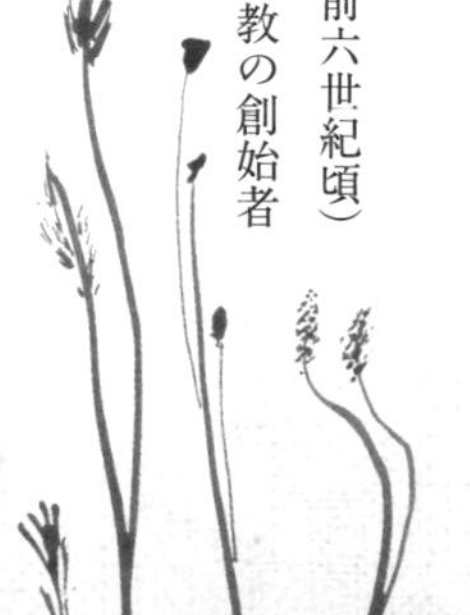

このように、私は想像力を使って人生の嫌なものからパワーを取り除き、楽しんでいます。時々、人生の色々な場面で、野生の馬に乗った人々や自分自身を見ると笑ってしまいます。自分自身を笑って悪い気分から抜け出せれば、たいしたものです。自分で自分の人生を変えたのですから。

気分が優れないからと言って自分を責めて、悪い気分に余計にパワーを与えないでください。そうすると嫌な気分という野生の馬に鞭を打って、更にいらいらしてしまいます。要は、悪い感情を嫌うのではなく、なるべく意識的に良い気分になるように心掛けることです。悪い感情に逆らうとそれを増幅してしまいます。嫌な気分を嫌えば嫌うほど、もっと嫌な気分になります。人生のどんなことでも抵抗すればするほど、それをもっと引き寄せてしまいます。ですから、悪い感情が湧いてきても気にしないことです。悪い感情に一切、抵抗しなければ、嫌な感情からすべてのパワーを取り去ることができるのです。

パワーのポイント

● 人は誰でも磁場に囲まれています。あなたがどこへ行こうと磁場はついてきます。

● あなたは磁場を通して全てのものを引き付けます。その磁場が肯定的か否定的かを決めるのは、あなたの感情です。

● あなたが感情や言葉を通して愛を与えるたびに、あなたのまわりの磁場に愛を付け加えています。

● あなたの磁場に愛があればある程、好きなものを引き寄せるパワーはより強くなります。

● あなたが望むものは点のように小さいと想像して下さい！　愛の力に比べれば、あなたの望みは点よりも小さいのです。

● 否定的なものを無理やり肯定的なものに変えようとする必要はありません。望むものに愛を込めるだけで良いのです。なぜなら、望むものが創造されることで否定的なものに置き換わるからです。

● 一日七分間、欲しいものを手にしている自分の姿を想像し感じて下さい。名前が自分に属するものだと知っている様に、その望みが自分のものだと感じるまで毎日続けて下さい。

●人生にはひとつの力しかありません。それは愛の力です。愛に溢れて気分良く感じるか、愛に飢え、気分が悪くなるかのいずれかです。あなたがどう感じるかは愛の程度によります。

●悪い気分をぱっと変えるには、悪い気分を自分が乗っている野生の馬だと思って下さい。自分で乗ったのだから降りることもできます！　乗った時と同様、すぐに降りることもできます。

●与えるものを変えなさい。すると例外なく違ったものを受け取ることができます。なぜなら、それが引き寄せの法則だからです。それが愛の法則なのです。

人生はあなたに従います

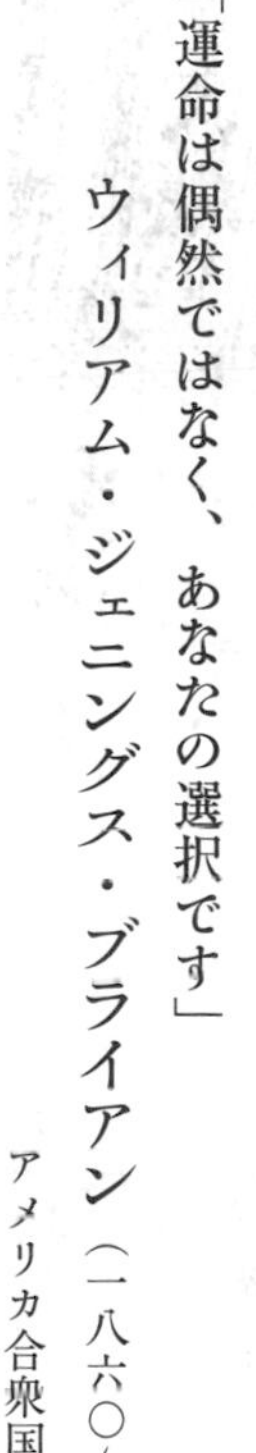

「運命は偶然ではなく、あなたの選択です」

ウィリアム・ジェニングス・ブライアン（一八六〇～一九二五）

アメリカ合衆国政治指導者

人生はあなたに従います。あなたが人生で体験することは全て、あなたがそとに放射した思いや感情の結果です。それは自分で放射したかどうか気づいていてもいなくても、同じです。人生はあなたに起きているのではなく、あなたの後を追っているのです。あなたの運命はあなたの手の中にあります。あなたが何を考え、何を感じるかがあなたの人生を決めているのです。

人生の全てのものは、あなたが愛するものを選ぶために差し出されています！　人生はカタログなのです。あなたこそ、その中から自分が欲しいものを選ぶ責任者です！　あなたは愛するものをきちんと選んでいますか？　それとも、良くないと批判したり、ラベルを貼ったりして時間をついやしてはいませんか？　もし今、幸せから程遠い状況にあるならば、あなたは全てのものにうっかり悪いラベルを貼っていたのです。そしてあなたが悪いと判断したものによって、人生の目的から逸脱させられてしまったのです。なぜならば、人生の目的は愛したり喜んだりすることだからです。あなたの人生の目的は喜びです。そしてあなたが愛するものを選択し、嫌なものを選ばないためにそれから離れることなのです。

愛するものを選びなさい

あなたの憧れの車が街中をやってくるのを見たら、人生があなたにその車を差し出してくれているのです！　あなたが憧れの夢の車を見てどう感じるかが全てです。あなたがその車に愛のみを感じれば、あなたはその車を自分に引き寄せます。他方、他の人がその夢の車を運転しているという理由で嫉妬を感じると、夢の車を手にすることはできません。人生はあなたが選べるように夢の車を差し出してくれるのです。あなたは愛を感じるだけで、それを選択することができます。誰かがあなたの持っていないものを持っていたとしても、そんなことはまったく関係のないことです。人生はあなたに全てを差し出しており、あなたがそれに愛を感じれば、同じものを手に入れることができるのです。

熱愛中のカップルを見て自分も必死でパートナーを求めていたとします。人生は幸せなカップルをあなたの目の前に差し出し、あなたも選ぶことができますよと言っています。しかし、その幸せなカップルを見て寂しさや孤独を感じると、否定的な感情が出てしまって、結果的に「私は孤独で寂しくなりたい」と言っているに等しいのです。欲しいものに対しては愛を注がなくてはなりません。太りすぎたあなたが街を歩いていると、完璧な体型をした人が通り過ぎたとしましょう。あなたはどう感じますか？　人生は、素晴らしい体型を提供し、それをあなたが選べるようにしてくれたのです。それを見て自分はあんなにもかっこよくないと気分を悪くしてしまうと、「あんな美しい体型はいらない、今のままの太った身体のほうが良い」と言っているに等しいのです。何かの病気で闘病中のあなたが健康な人に囲まれているとしたら、どう感じますか？　人生は健康な人を提示して、あなたも健康になれると示してくれているのです。あなたが周りの健康な人たちに愛を感じ、自分が健康でないことを気に病まなければ、あなたは自分にも健康を選んだことになります。

誰か他人の持ち物について良い気分を抱くと、それは自分にももたらされます。他人の成功や幸せや良いことを喜ぶことができれば、人生のカタログからそれらを選んだことになり、間もなくあなたはそれを自分に引き寄せます。

自分が憧れている資質を持った人に出会ったら、その資質を愛し、その人がその資質を持っていることを喜びましょう。すると、その資質を自分も手に入れることができます。もし、誰かが頭が良く、美しく、才能がある時は、それらの資質を愛して下さい。すると、それらを自分のために選んだことになります！

子供が欲しくて、長い間努力しているとしたら、子供と一緒にいる親を見る度に愛を感じて、喜んで下さい！　子供ができないからといって、子供を見るたびに落ち込んでいたら、自分の人生から子供達を押しのけていることになります。あなたが子供を見るたびに人生はあなたに子供を選べるように提示しているのです。

スポーツで相手が勝ったり、職場の同僚が昇給したり、誰かが宝くじを当てたり、友人から配偶者が週末旅行をプレゼントしてくれた、新しい家を買った、子供が奨学金を得たなどの話を聞いたりしたら、あなたもその人たちと同じくらい興奮して喜んで下さい。まるで、自分のことのように興奮し幸せを感じるのです。そうすれば、あなたはそれらにイエスと言って、愛を与えているのです。そして、あなたにも同じものがもたらされます。

あなたの夢の車、幸せなカップル、完璧な体型、子供、他の人の優れた資質等、あなたが得たいと思うものに出会う時は、それとあなたは同じ周波数にあるのです。その時、興奮して喜んで下さい！　あなたのわくわく感がそれを選ぶからです。

人生の全てのものがあなたに提示され、あなたは愛するものと愛さないものとを選択することができます。しかし、愛だけがあなたの欲しいものを、あなたにもたらしてくれます。人生のカタログにはあなたが望まないものがたくさんありますから、悪い感情を放ってそれを選ばないようにして下さい。誰かを批判し、悪い人だと思うと、否定的なものを自分に引き寄せます。また、他人が持っているものを羨やむと、自分に否定性を持ち込み、自分が望むものをすごい力で遠くに追いやってしまいます。愛だけが欲しいものをもたらしてくれるのです！

「これは何かを本当に愛する人にだけ常に起きる奇跡です。愛を与えるほど多くのものがもたらされるのです」

ライナー・マリア・リルケ（一八七五〜一九二六）

作家・詩人

単独の法則──それはあなただけ！

引き寄せの法則には、周囲のすべての人や状況や環境であなたの役に立つ、とても簡単な基本原則があります。引き寄せの法則が働くのは世界中で一人しかいないということです。それはあなたです。引き寄せの法則に関して言えば、他の人や他のものは一切関係がありません。あなただけしか関係していないのです。引き寄せの法則はあなたの感情に反応するからです。あなたの与えるものだけが問題なのです。それは誰にとっても同じです。ですから、引き寄せの法則は実はあなたの法則なのです。あなたしかいません。他の人はいません。引き寄せの法則

にとって、その他の人とはあなたのことなのです。その他の人もどの人も、あなたです。誰か他の人に関してあなたが何かを感じると、それをあなたが自分にもたらすからです。

他の人に関してあなたが感じたり、考えたり、喋(しゃべ)ったりすることは、あなたが自分自身にしていることに他なりません。人を評価し、批判すると、自分にも同じことをしているのです。人に愛と感謝を与えれば、自分にもそれを与えます。引き寄せの法則には他人はいません。ですから、あなたの欲しいものを持っているのが他の人であっても、関係ありません。あなたがそれに愛を感じれば、あなたはそれを自分の人生の一部にしているのです。愛していないものについては、善し悪しを判断することなくただ背を向けましょう。そうすれば、それがあなたにもたらされることはありません。

引き寄せの法則には「イエス」しかありません

好きでないものからは距離を置き、それについて何の感情も持たないようにして下さい。愛していないものに「ノー」と言ってはいけません。それがやってきてしまうからです。愛していないものに「ノー」と言うとそれに悪い感情を抱き、嫌な気分になり、その結果その感情を自分の生活に好ましくない状況として、受け取ってしまいます。

引き寄せの法則では、あなたが「いいえ、それは欲しくありません」と言っても、実は肯定していることになりますから、何に対しても「ノー」と言えません。「交通渋滞がひどい」、「サービスが本当にひどい」、「あの人達はいつも遅刻する」、「この中はうるさい」、「あの運転手は頭がおかしい」、「長い時間待たされている」などと口にすると、それらのことを肯定して、自分の人生にもっと取り込んでしまいます。

愛していないものに背を向け、それに特別な感情を持たないで下さい。それらはそのまで良いですが、あなたの生活には馴染(なじ)まないからです。

「悪いことは、見ざる、言わざる、聞かざる」
日光東照宮の格言（十七世紀）

その代わり、愛するものを見たり、聞いたり、味わったりしたら「イエス」と言って下さい。好きな香りがしたり、好きなものに手が触れたりしたら「イエス」と言って下さい。あなたがそれを持っているかどうかに関係なく、ただ、「イエス」と言って下さい。そうすれば、愛を与えることによって、それを選んでいるからです。

あなたが心からそれを熱望すれば何事にも限界はなく、すべてのことが可能です。宇宙には足りないものはありません。何かが足りないと見える時は、愛が足りないだけなのです。健康や金銭や資源や幸せが不足することはありません。需要と供給は一致しています。愛を与えれば、あなたは受け取るのです！

あなたの人生——あなたの物語

あなたは自分の人生の物語を書いています。どういうストーリーにしますか？　できることとできないことがあると信じていますか？　自分にはできることとできないことがあるというのがあなたの物語ですか？　そんな話は本当ではありません。

誰かがあなたのことを人より劣っているとか、限界があるとか、好きな事をして生計を立てるのは無理だとか言っても耳を貸さないで下さい。あなたのことを歴史上の偉人と比べて価値がないとか、今のままではだめで、これから成果を示さなければならないとか、

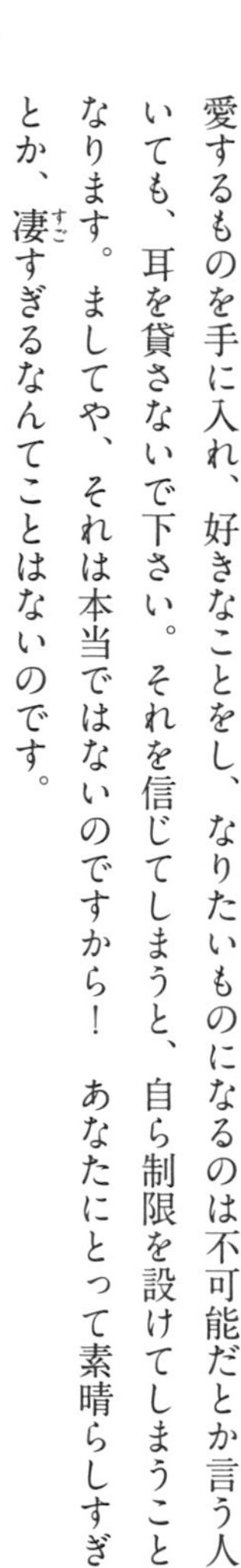

愛するものを手に入れ、好きなことをし、なりたいものになるのは不可能だとか言う人がいても、耳を貸さないで下さい。それを信じてしまうと、自ら制限を設けてしまうことになります。ましてや、それは本当ではないのですから！　あなたにとって素晴らしすぎるとか、凄(すご)すぎるなんてことはないのです。

愛の力は、「あなたが与えるものをあなたは全て受け取る」と言っています。あなたがそれにふさわしくないなどと言っていません。愛の力は「なりたいもの、やりたいこと、欲しいものに愛を与えれば、それらを受け取る」と言っているのです。あなたは今のままで価値があり、全てを受け取る資格があります。今のあなたは十分に素晴らしいのです。何か良くないことをしてしまったと感じても、それに気付き、それを受け入れれば、引き寄せの法則からは免除されます。

本当の世界

「最初は可能性しかありませんでした。誰かが観測して初めて宇宙は現実に存在することができます。観察者が何十億年も後に現れても構いません。宇宙は私達がその存在に気付いているから存在するのです」

マーティン・リース（一九四二～）
宇宙物理学者

目に見える世界の多くはあなたが考えているほど本物ではありませんから、あなたをその舞台裏に連れて行き、真の姿を見せたいと思います。見えない世界へちょっと冒険に出かけただけで、あなたは世界観が変わり、解放されて無限に豊かな人生を受け取りはじめるでしょう。

あなたが今信じている現実世界のほとんどは真実ではありません。あなたは自分で気付いている以上の存在です。人生も宇宙もあなたが知っている以上の存在です。この世界には限られた量の物しかないと思っていませんか。お金や健康や資源の量も限られていると考えているかもしれませんが、それは本当ではありません。不足しているものは何もないのです。量子物理学者は無数の地球や宇宙が存在し、私たちは一瞬のうちに一つの現実の地球と宇宙から別の地球と宇宙へ移動していると言っています。これが科学を通して明らかになった本当の世界です。

「この宇宙で私達は物質界の周波数に同調しています。しかし、同じ部屋の中に無限数の並行現実が私達と共存しています。ただ、私達はそれらに周波数を合わせることが出来ないだけです」

スティーブン・ワインバーク（一九三三〜）

ノーベル物理学賞受賞量子物理学者

あなたは現実の世界では時間が足りないと思って、時間に追われる人生を過ごしているかもしれません。しかし、偉大な科学者のアルベルト・アインシュタインは時間は幻想だと言っています。

「過去、現在、未来の区別は頑固に引き続いている幻想に過ぎない」

アルベルト・アインシュタイン（一八七九〜一九五五）

ノーベル物理学賞受賞物理学者

現実の世界は生きたものと死んだものからなっているかもしれません。しかし、この宇宙では全てのものが生きていて、死んでいるものはありません。恒星、太陽、惑星、地球、空気、水、火、そして目にする全ての物質は生命に溢(あふ)れています。これがここにある本物の世界なのです。

「その樹木にも、あなたの愛を感じ、それに反応する感覚があります。ただ私達が現在理解する方法ややり方でその喜びを表現したり反応したりしないだけです」

プレンティス・マルフォード（一八三四～一八九一）
ニューソート作家

現実の世界とは自分に見える全てのものであり、自分に見えないものは現実ではないと信じているかもしれません。しかし、何かを見るときにあなたが認識する色は、そのものの固有の色ではありません。それぞれのものは固有の色をすべて吸収し、自分のものではない色を反射しているのです。そして、私達が認識するのはその反射した色なのです。つまり、空は本当は青色以外の全ての色をしているのです！

あなたに聞こえない音もあります。それがあなたの聞こえる範囲を超えた周波数だからです。しかし、その音は存在します。あなたには、紫外線や赤外線の光は見えません。それはその周波数があなたが目で認識できる領域を超えているからです。しかしそれらは存在します。知られている光の周波数の幅全体をエベレスト山の大きさだとすれば、あなたが見える範囲はゴルフボールよりも小さいのです！

あなたはこの現実世界が見たり触ったりすることのできる固形の物体からできていると信じているかもしれません。しかし、実際は、何一つ、固形物ではありません！　あなたが今座っている椅子も動いているエネルギーの力であり、ほとんどが空間です。そうするとあなたの椅子はどれだけ本物ですか？

「賢者は実世界が幻想にすぎないと気づいているので、それが本物であるかのように行動することはない。だから苦悩から自由でいられるのだ」

ゴータマ・仏陀（紀元前五六三〜四八三）

仏教の創始者

あなたは自分の想像は思いつきや夢に過ぎなくて、現実世界には何の影響も及ぼさないと考えるかもしれません。しかし、科学者が物事の正しさを証明していく上で障害となるのが、科学の実験から科学者の信念を取り払うことなのです。なぜなら、科学者がこのような結果になるだろうと信じたり想像したりすることが、実験の結果に影響を与えてしまうからです。これぞまさに人間の想像と信念の威力です！　科学者の信念がその実験に影響を与えるように、あなたの信念もあなたの人生に影響を与えるのです。

あなたの信念がそれが本当かどうかにかかわらず、あなたの世界を形作っています。あなたが想像し、本当だと感じることがあなたの人生を創造するのです。なぜなら、あなたがそれを引き寄せの法則に与え、それを受け取るからです。あなたが目にしている世界よりも、あなたの想像の方がよりリアルなのです。あなたが見ている世界はあなたの想像と信念からできたものだからです。あなたが信じ、本当だと感じるものが、そのままあなたの人生となります。夢に描いている人生は送れないとあなたが信じていれば、引き寄せの法則があなたが思うことに従い、それがあなたの人生となるのです。

「目にしたり、触ったりできる世界を信じるのでは、信念があるとは言えません。目に見えない世界を信じることこそが、勝利であり、祝福なのです」

エイブラハム・リンカーン（一八〇九〜一八六五）
アメリカ合衆国第十六代大統領

限界があるという物語は人類の歴史上、幾世代にもわたって、引き継がれてきました。しかし、今、いよいよ、本当の物語を語る時期が来ています。

本当の物語

本当の物語とは、あなたは無限の存在だということです。本当は、世界も宇宙も無限なのです。あなたには見えない世界や可能性があり、その全てが存在しています。さあ、異なる物語を語り始めなければいけません！　あなたの驚異的な人生の物語を話し始めるのです。どんな物語を語ろうと、その良しあしにかかわらず、引き寄せの法則がそれを確実

にあなたにもたらすからです。そしてそれがあなたの物語になるのです。

あなたの欲しいものが何であれ、心に描き感じて下さい。するとそれが人生の一こま一こまになります。それに出来る限り愛を注ぎ、出来る限り心地良い気分になれば、愛の力が作用して、愛する人々や状況や出来事をあなたにもたらしてくれます。あなたは何でもなりたいものになれます。何でもしたい事が出来ます。何でも欲しいものを手に入れられるのです。

何を愛しますか？　何が欲しいですか？

人生の物語の中で嫌だと思うことは全て手放し、愛するものだけを手元において下さい。過去から嫌なものを持ち続けると、それを思い出すたびに自分の人生物語にそれを入れ続け、今のあなたの生活のいろいろな場面に、それは戻ってきてしまうのです！

幼いころの嫌な思い出は手放し、愛するものだけを持ち続けましょう。青年時代や成人になってから嫌いだったものを手放し、好きなものだけを持ち続けましょう。自分の人生で愛するものだけを持ち続けて下さい。過去の否定的なものごとは、もう済んだことです。その頃のあなたと今のあなたは別人です。そうであれば、なぜ、思い出すと気分が良くないのに、過去のことをあなたの物語に入れ続けるのですか？　過去から否定的なものを掘り起こす必要なんてありません。もうあなたの物語にそれをとりこまないで下さい。

「何か分かりませんが、偉大で、永遠な力が私達を先へと強く押しています。それにもかかわらず、たじろぎ、後ろを振り向く人が大勢います。無意識にこの力に抗しているのです」

プレンティス・マルフォード（一八三四〜一八九一）
ニューソート作家

自分は被害者だという物語を語り続けると、人生で繰り返しそういう場面が現れます。

他の人ほど頭が良くない、魅力がない、才能がないなどという話をし続けると、それが正しいことになります。それが人生の一こまになってしまうからです。

人生を愛で満たすと、自ずと（おの）そうした罪悪感、後悔といった否定的な感情が消え去ります。するとあなたは今までになく素晴らしい物語を語り始め、愛の力によってあなたの人生は驚く程輝いてくるのです。

「地球上で最も偉大なパワーは愛です。愛は全てを凌駕（りょうが）します」

ピース・ピルグリム（一九〇八～一九八一）

ミルドレッド・リセット・ノーマンとして生まれる

平和活動家

パワーのポイント

- 人生はあなたが愛するものを選べるように全てを提示してくれています！
- もし誰かがあなたが望むものを所有していたとしても、それを自分が持っているかのように喜びましょう。あなたがそれに愛を感じればそれと同じものを手に入れることができます。
- 欲しいものに出会ったとき、あなたはそれと同じ周波数にいるのです！
- 人生のカタログにはあなたが愛していないものも書いてあります。悪い感情を抱くことでそれらを選ぶことがないようにしましょう。
- 愛していないものから背を向けましょう。そしてそれらについて何も感じないことです。逆に愛するものに出会ったら「イエス」と言いましょう。
- 引き寄せの法則はあなたの感情に反応します！　あなたが何を与えるのかだけが重要です。引き寄せの法則は、あなたについての法則なのです。

●人を評価したり批判したりするとそれが自分に返って来ます。人を愛したり褒めたりするとあなたも愛され褒められます。

●何か足りないものがあるとしたら、それは愛が足りないだけなのです。

●今のあなたで十分良い状況にあります。何か良くないことをした時、それに気付きそれを受け入れれば、引き寄せの法則から免除されます。

●あなたの世界を形作るのは良い悪いは別にして、あなたの信念です。

●あなたが心に描いていることは目にしている世界よりもリアルです。なぜなら、あなたの見ている世界はあなたが心に描き信じていることから生じたのですから。あなたが信じ、感じたことが現実となり、あなたの人生となるのです。

●あなたが語る物語が、その良し悪しに関係なくあなたの人生物語となります。ですから驚くほど素晴らしい人生の物語について話し始めましょう。すると、引き寄せの法則がそれが手に入るように保証してくれます。

ザ・パワーへの鍵(かぎ)

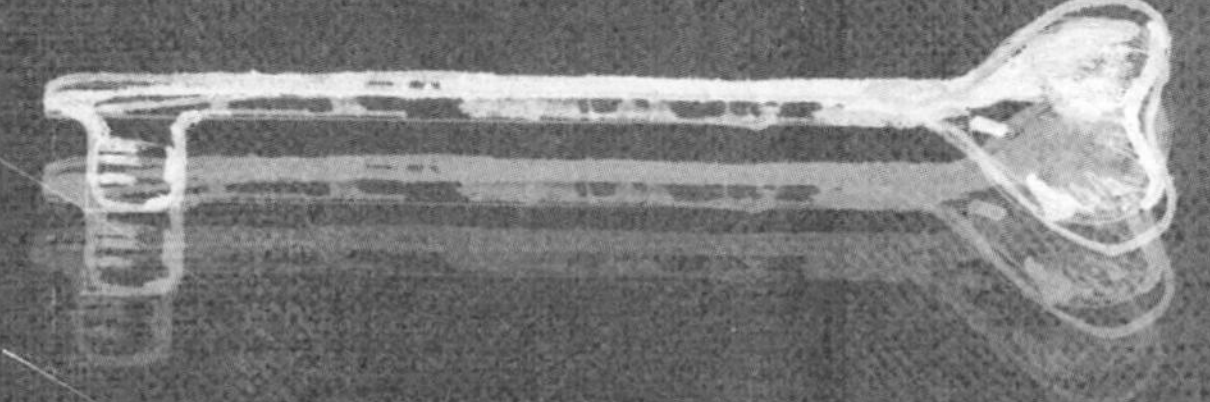

「あなたにとって最も貴重で価値あるものや、あなたの持っている偉大な力は、目に見えず、触ることもできません。誰もそれを奪うことはできません。あなただけがそれらを与えることができます。そして、与えれば、あなたは豊かさを手にするでしょう」

W・クレメント・ストーン（一九〇二〜二〇〇二）
作家　ビジネスマン

パワーへの鍵は、愛の力を最大限活用して、本来歩むべき人生を実現するための最も力強い方法です。それはごく簡単でやさしいために、子供でも理解できます。各々の鍵があなたの内なる巨大なパワーの扉を開けてくれます。

愛の鍵

あなたが愛を人生の究極のパワーとして使うためには、今までにない程深く愛さなければなりません。人生に恋をして下さい！　これまでどれだけ愛してきたとしても、それを今の二倍にし、十倍、百倍、千倍、百万倍にしてください。あなたはそれほど大きな愛を感じることができるからです！　あなたは無限の愛を感じることができます。そしてそれはあなたの中に全てあります！　あなたは愛でできているのです。愛はあなたの人生そして宇宙の本質です。ですから、あなたは今までよりずっと、また想像以上に深く愛することができるのです。

あなたが自分の人生に恋すると、人生の全ての制約が消え去ります。金銭、健康、幸せ、人間関係の喜びなどの制約を、全て取り外せます。人生と恋に落ちれば、抵

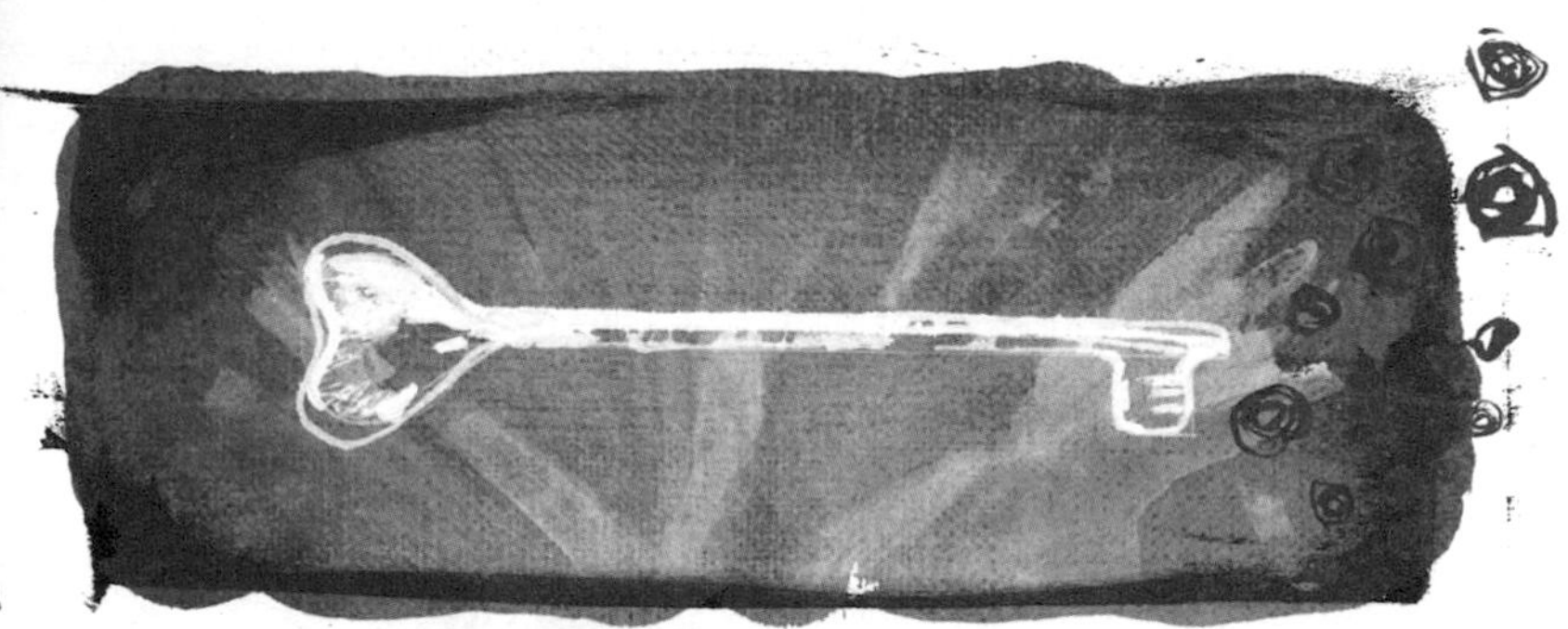

抗しなくなり、愛するものが全て人生に瞬時に現れるでしょう。部屋に入ると皆が自分に気づいてくれます。素晴らしいチャンスが次々と訪れ、あなたがちょっと触れるだけで否定的な面は消え去ります。信じられない程、心地良く感じるようになります。無限のエネルギーやわくわく感、人生への抑えきれない情熱でいっぱいになります。羽のように軽くまるで空中を飛んでいるように感じられ、愛するものが全て足元に落ちてくるように思えるでしょう。人生を愛し、内なるパワーを引き出せば、あなたには限界は無く、無敵になります！

「これだけ年月が経っても、太陽は地球に対して『あなたは私に借りがある』とは決して言いません。太陽の偉大な愛をご覧なさい！　空全体を明るくしているのです」

ハーフェズ（一三一五頃〜一三九〇）
スーフィ教詩人

それでは、どうやって人生と恋に落ちるのでしょうか？　人と恋に落ちるのと同じ方法で、人生の全てを褒めたたえて下さい。人に恋した時、あなたは愛だけを見、愛だけを耳にし、愛だけを語り、心全体で愛を感じます！　それが正に人生と恋に落ちるために、愛の究極の力を使う方法なのです。

何をしていようと、どこにいようと、常に愛するものを探して下さい。発明でも、技術でも良いのです。建物や車や道路、カフェやレストランやお店など何でもよいのです。街中やお店の中を歩きながら、意識してできるだけたくさんの愛するものを探して下さい。他の人の中にも自分の愛するものを探して下さい。自然の中で、鳥、木々、花、香り、自然の色など愛するものを全て探して下さい。愛するものを見つめ、愛するものに耳を傾けて、愛するものについて語って下さい。

「その力と一緒であれば、一度も失敗した例はありません。あなたの場合も失敗することはないと自信を持って歩みを進めて下さい」

ロバート・コリエー（一八八五〜一九五〇）
ニューソート作家

愛するもののことを考え、愛することについて語り、愛することをして下さい。そうしている時は、あなたは愛を感じているからです。

家庭、家族、配偶者、子供たちについて、あなたが愛している事柄を話しましょう。友達に関して愛する点について話して下さい。そして、彼らのどこが好きなのか伝えて下さい。あなたが愛している手で触れ、匂いを嗅ぎ、味わうものについて話して下さい。

毎日、自分が何を愛しているかを特定し、それを感じることによって、あなたが愛しているものを引き寄せの法則に示して下さい。愛するものを感じることで、一日にどれだけの愛を与えることができるか考えてみて下さい。街を歩く時も人の中に愛すべき点を探して下さい。店の中を見る時も愛するものを探して下さい。そして「この洋服が大好き」、「あの靴が大好き」、「あの人の目の色が大好き」、「あの人の髪が大好き」、「あの人の笑顔が大好き」、「あの化粧品が大好き」、「あの匂いが大好き」、「あの店が大好き」、「あのテーブルやランプ、ソファや敷物、オーディオやコート、手袋や帽子や宝石が大好き」、「夏の香りが大好き」、「秋の樹々が大好き」、「春の花が大好き」、「あの色が大好き」、「この通りが大好き」、「この街が大好き」と言って下さい。

あなたの周囲の状況、出来事、環境についても大好きなものを探して感じて下さい。「あんな電話が来るのが大好き」、「あの様なEメールを受け取るのが大好き」、「ああいう嬉しいニュースを聞くのが大好き」、「この歌が大好き」、「幸せそうな人々を見るのが大好き」、「皆と一緒に笑うのが大好き」、「音楽を聴きながら職場に運転していくのが大好き」、「バスや電車でリラックスできるのが大好き」、「私の街のお祭りが大好き」、「お祝い事が大好き」、「人生が大好き」などという様にです。心に灯をともしてくれるもの全ての良い面を探して、それらにできる限り深い愛情を感じて下さい。

気分が優れなくて、気持ちを切り替えたいときや、もっと気分を良くしたいときは、数分間自分が愛し大切にしているものを次々と思い浮かべて下さい。朝服を着替える時、歩いている時、運転している時、旅行している時にもそれはできます。とても簡単にできることですが、あなたの人生に与える影響は驚くほどです。

月初めに愛するもののリストを書き出しましょう。最初のころはぜひ、毎月やってみて下さい。そのあとも少なくとも三ヶ月に一度は行って下さい。好きな場所、街、国、好きな人々、好きな色、好きなファッション、人々の資質、好きな会社、好きなサービス、好きなスポーツ、好きな運動選手、好きな音楽、動物、花、植物、木々などをそのリストに入れましょう。あらゆる愛するもの、例えば、好きな衣服、家、家具、本、雑誌、新聞、車、電気機器や食べ物までをリストにして下さい。やりたいこと、例えば、ダンス、スポーツ、ギャラリー、コンサート、パーティー、買い物、好きな映画、休暇、好きなレストランなども考えてみて、それをリストに入れましょう。

「人が一旦愛の王国にすっぽりと入りこめば、どれだけ不完全であろうとも、世界は豊かで美しいものになり、愛の体験で溢れます。そしてその世界には愛のチャンスしかありません」

セーレン・オービエ・キエルケゴール（一八一三～一八五五）

哲学者

あなたの仕事は毎日できるだけ沢山愛することです。今日、あなたが愛し称賛することができるものを探し、それらのすべてを愛し、愛していないものから遠ざかれば、あなたの明日は欲しいもの、愛するものすべてに囲まれ、幸せで満ち溢れるでしょう。

「愛こそが幸せの扉を開けてくれるマスターキーです」

オリバー・ウェンデル・ホームズ（一八〇九～一八九四）

ハーバード大学医学部学部長

愛はいつもそこに控えています

周りの愛を感じ取るために敏感になって下さい。愛するためには、周りのすべてのことに気づく必要があります。そうでないと、色々な事を見逃してしまいます。愛するものを見るために、愛する音を聞くために敏感になって下さい。美しい花の横を通り過ぎる時に、その香りを敏感に感じて下さい。食事を心から味わい、豊かな味わいを十分に楽しむために、敏感になって下さい。街を歩きながら頭の中の考えごとに没頭していると、全てを逃してしまいます。人々は多くの時間、そうしています。つまり、頭の中の考えに気を取られて自分に催眠をかけ、一種のトランス状態になって、周囲のことに気づかないのです。

街中を歩いている時に、急に親しい友人に呼び止められ驚いたことはありませんか？　その友人に気づかなかったからです。或いは友達を見かけたので何度も呼びかけると、その人があなたを見てビックリしてとび上がったという経験はありませんか？　あなたが呼んだために、頭の中の考えに気を取られてトランス状態になり、自分が道を歩いていることも気づかなかった友人が目を覚ましたのです。車を運転していて、ほとんどそこまでどう運転したか覚えていないのに、気づいたらほとんど目的地に着いていたという経験はありませんか？　自分の考えごとに囚（とら）われて自分に催眠をかけて、トランス状態になっていたのです。

良い事を教えてあげましょう。愛を与えれば与えるほど、どんどん敏感になり、注意深くなります。愛は完璧（かんぺき）な敏感さをもたらします。周りにある愛するものにできるだけ気づくよう毎日意識的に努力すれば、あなたはより繊細で敏感になれます。

愛に意識を集中させる方法

「意識が鮮明な時、情熱もはっきりしています。そのために明瞭（めいりょう）な意識を持つと、愛するものが明確に判り、それを情熱的に愛することができるのです」

ブレーズ・パスカル（一六二三～一六六二）
数学者・哲学者

敏感でいるための一つの方法は、次のような質問をして意識を手なずけるやり方です。

「自分が愛するものとして何が見えるか？」「愛するものは幾つ見えるか？」「愛するものは他に何があるか？」「自分がわくわくするものは何か？」「興奮するものは何か？」「情熱を抱けるものは何か？」「自分の愛するものはもっとないか？」「愛するものは聞こえるか？」すると、その答えを出すために意識は忙しくなり、すぐに他のことを考えるのはやめてその質問の答えを出そうとします。

定期的にそうした質問を続けるのが秘訣です。より多く質問すればするほど自分の意識をうまくコントロールできるようになります。すると、あなたの意識はあなたに逆らうのではなく、あなたが望むような働きをしてくれるでしょう。

あなたが意識をしっかりとコントロールしないでいると、意識は運転手のいない貨物列車が山を下るのと同様になってしまいます。あなたが意識の運転手なのです。責任を持ち、絶えずどこに自分は行きたいか指示を出して、意識を支配してください。的確に指示しなければ、あなたの意識は勝手に自分の行きたい方向に行ってしまいます。

「意識をコントロールできない人にとって、意識は敵の様な行動を起こします」

バガバッド・ギーター（紀元前五世紀頃）
古代ヒンズー教典

意識（マインド）はあなたが利用できる力強く偉大なツールですが、しっかりコントロールする必要があります。意識に散漫な思考であなたの気を散らすのをやめさせ、その代わりに愛を与える手伝いをさせなさい。愛に集中できるように意識を訓練するのには、それほど時間はかかりません。そのあと人生に何が起こるか、観察してください。

感謝の鍵

「感謝なくして多くのパワーを使うことはできません。なぜなら、あなたとパワーを結びつけるものが感謝の気持ちだからです」

ウォレス・ワトルズ（一八六〇〜一九一一）
ニューソート作家

感謝することによって最悪の事態から自分の人生を見事に好転させた人達を、私は数多く見てきました。絶望的な状況下で奇跡的に健康を回復した人達を私は知っています。例えば、機能不全の腎臓（じんぞう）が再生し、病んだ心臓が癒（いや）され、視力が回復し、腫瘍（しゅよう）が消え、骨が成長し自力で再生した、などです。感謝を通して、壊れた人間関係が素晴らしいものに変容したのを目のあたりにしています。壊れた結婚生活が完全に元に戻った、ばらばらになっていた家族が再び結びついた、親子関係が修復した、教師によって生徒たちが変わったなどの例を、私は知っています。

感謝を通して、貧乏だった人達が裕福になった例も見ました。失敗したビジネスを立て直し、ずっとお金に困窮していた人々が富を創造し、ホームレスだった人が一週間で職に就きマイホームまで持てたのです。感謝することによって、突然、鬱が治り、楽しく充実した人生を送れるようになった人々も知っています。心配ばかりして、ありとあらゆる精神疾患に苦しんでいたのに、感謝することによって健康で完全な精神状態へ回復した人たちもいます。

世界の全ての救済者たちは感謝こそ愛の最高表現であることを知っており、感謝を利用しています。彼らは感謝すれば、引き寄せの法則が働くことを知っていたのです。なぜ、イエス・キリストが奇跡を起こす前に必ず「ありがとう」と言ったと思いますか?

感謝を感じる時あなたは愛を与えているのです。そして、あなたは与えたものを受け取ります。誰かに感謝している時も、車や休暇、夕焼けや贈り物、新しい家や面白いイベン

トなどに感謝している時も、あなたはそれらに愛を注いでいます。そして、より多くの喜びや健康やお金、驚くほど素晴らしい経験、豊かな人間関係やより多くのチャンスを受け取るのです。

今、試してみて下さい。感謝している人やものを思い浮かべて下さい。世界で一番愛している人を選んでも良いのです。その人に意識を集中し、その人に関して愛している点や感謝していることを全て思い浮かべて下さい。次に、あたかもその人が目の前にいると思って、その人に対して、愛しているところ、感謝している事柄を全て心をこめて心の中か、もしくは口に出して伝えて下さい。あなたがその人を愛している理由を漏れなく教えてあげて下さい。「あの時……を覚えていますか」という言い方で、ある特定の出来事や瞬間を思い出すこともできます。それをしながら、あなたの体と心が感謝の気持ちで溢れるのを感じて下さい。

この簡単な練習であなたが与えた愛はあなたの人間関係や人生全般に返ってきます。感謝を通して愛を与えることはとてもやりやすい方法です。

アルベルト・アインシュタインは史上最も偉大な科学者の一人です。彼の発見のお陰で私たちの宇宙の見方が完全に変わりました。しかし、不朽の偉業について尋ねられた時、

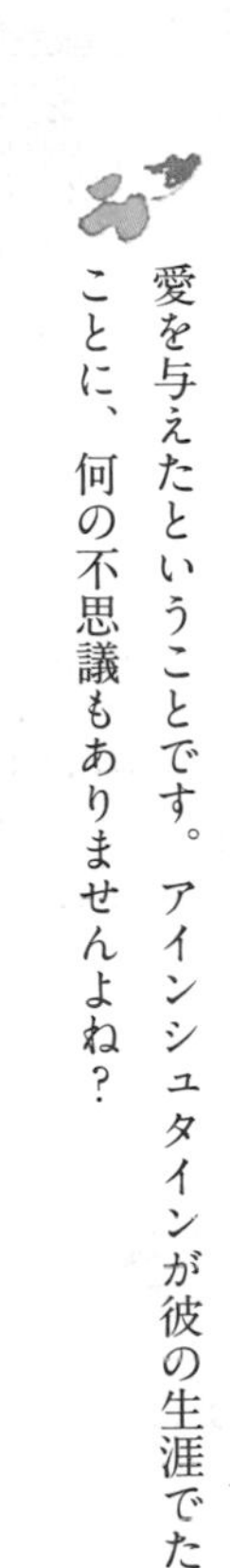

他の人に対する感謝の言葉を述べただけでした。最も才能に溢れた偉人は、恩返しのため、一日に一〇〇回も感謝したのです！　それはつまりアインシュタインは一日一〇〇回以上愛を与えたということです。アインシュタインが彼の生涯でたくさんの謎を解き明かしたことに、何の不思議もありませんよね？

「私は毎日、百回、私の内面と外面の人生は、今生きている人々、過去に生きた人々の努力によるものだと思い出すようにしています。これまでに享受し、今も受け続けている恩恵に同じように報いるために、私も努力しなければなりません」

アルベルト・アインシュタイン（一八七九〜一九五五）
ノーベル物理学賞受賞物理学者

感謝、それは偉大な乗数です

どんなに小さなものであっても自分が持っているものに感謝すると、それと同じものをもっとたくさん受け取ります。自分が持っているお金に感謝すると、それがどんなに少なくても、より多くのお金を手にします。たとえ完璧ではない関係でも、あなたの人間関係に感謝すると、その関係が好転します。今の職業が理想のものでなくても、それに感謝すれば、職場でもっとよいチャンスが訪れます。なぜなら、感謝こそ人生を何倍にも素晴らしくする鍵だからです。

「あなたが生涯口にする唯一の祈りが『ありがとう』ならば、それで十分です」

マイスター・エクハルト（一二六〇～一三二八）
キリスト教作家・神学者

感謝は「ありがとう」という簡単な言葉で始まりますが、それを言う時に心から感謝しなければなりません。あなたが「ありがとう」と言えば言うほど、それをより多く感じるようになり、より多く愛を与えることになります。人生で愛の力を使う方法が三種類あり、そのどれもが愛を与えるというやり方です。

1　今までに人生で受け取ったものに感謝しましょう（過去）。

2　今、人生で受け取っているものに感謝しましょう（現在）。

3　人生に欲しいものに、あたかもすでに受け取ったかのように感謝しましょう（未来）。

過去に得たものや今得ているものに感謝しないと、あなたは愛を与えておらず、現状を変えるパワーを持つことになりません。過去受け取ったものと今受け取り続けているものに感謝すると、それらが倍増します。それと同時に、感謝は欲しいものをもたらしてくれます！　欲しいものがすでに手にはいったかの様に感謝しましょう。すると引き寄せの法則が、あなたはそれを受け取らなくてはならないと言ってくれるのです。

ただ感謝するという簡単なことで、あなたが愛する全てのものを何倍にもし、人生を完全に変えることができるなどと想像できますか？

離婚してから一人ぼっちでふさぎ込み、嫌な仕事をしていた男性が、生活を変えるために毎日愛と感謝を実践することにしました。彼はまず、一日中、全ての話し相手に対してポジティブになることから始めました。旧友や家族に電話をすると、彼がとても前向きで感謝に満ちているのが伝わり、皆が驚きました。彼は水道の水はもちろん、周りのもの全てに感謝しました。すると、百二十日以内に次の様な事が起こりました。仕事で嫌だったことが全て奇跡的に変化し、今ではその仕事を愛するようになりました。その仕事のお陰で彼は常々訪れたいと思っていた場所に行けるようになりました。今までと打って変わって家族のだれとも大変仲良くなりました。車の借金を返済し、常に必要なお金があるようになりました。何が起ころうと彼にとっては素晴らしい毎日です。そして、高校一年の時の初恋の相手と再婚しました。

「受け取った豊かさに対する感謝は、必ず将来も豊かであり続けることを保証します」

マホメッド（五七〇～六三二）
イスラム教の創始者

あなたが少しだけ感謝すれば、人生も少しだけ変わります。毎日たくさん感謝すると、想像できない程、あなたの人生は好転するでしょう。感謝は人生の全てのものごとを増幅するだけでなく、ネガティブなものを取り去ります。あなたがどんなネガティブな状況にいたとしても、何かしら感謝できるものは見つかるはずです。それに感謝すると愛の力をうまく利用でき、ネガティブな面を取り除くことができます。

感謝は愛への架け橋です

「もし私達が静かにして、準備を整えていれば、どんなに落胆しようと償いがあるでしょう」
ヘンリー・デイビッド・ソロー
（一八一七〜一八六二）
超越主義者・作家

私の母は感謝によって深い悲しみから抜け出し、幸せになれました。母と父はお互いに一目ぼれで、私の知る限りとても素敵な恋愛の後、結婚しました。父の死後、母は父を慕って深い悲しみに沈みました。でもその深い悲しみと苦しみの中で、感謝できることを探しはじめました。父との何十年にも及ぶ愛と

幸せな結婚生活に感謝するだけでなく、将来感謝できることにも目を向けました。先ず見つけたことはこれからは旅行ができるということでした。以前から、母はずっと旅行したかったのですが、父が旅行をしたがらなかったために、父が生きている間はできませんでした。そこで、母は夢を実現しました。旅行をし、その他ずっとやりたかった多くのことをしました。感謝が母が深い悲しみから抜け出して新しい幸せな生活を送るための、架け橋となったのです。

感謝している時、深い悲しみや否定的な感情を抱くことはできません。あなたがもし困難な状況の真っただ中にいるならば、何でもよいから感謝できることを探して下さい。一つ見つけたら、もう一つ探し、更にもう一つ探して下さい。感謝できるものを見つければ、その一つひとつがあなたの状況を刻々と変えてゆくからです。感謝の気持ちは、否定的な感情から愛の力をうまく利用できるような状況への架け橋となるのです。

「感謝の気持ちはワクチンであり、抗毒剤であり、防腐剤なのです」

ジョン・ヘンリー・ジョウェット（一八六四～一九二三）

キリスト教長老派教会伝道師・作家

日常生活で何か良い事が起きたら感謝して下さい。それがどんな些細なことでも「ありがとう」と言いましょう。完璧な駐車スペースを確保できたり、ラジオで大好きな曲が流れたり、信号に近づいたら青信号に変わったり、バスや電車で空席があったりしたら、「ありがとう」と言って下さい。これらはみなあなたが受け取った素晴らしいものなのです。

あなたの五感に感謝しましょう。目のお陰で物が見えます、耳のお陰で聞こえます、口のお陰で味わう事ができます、鼻のお陰で匂いが分かります、皮膚があるから触る事ができます。さらに、歩くための足、何でもできる手、自分を表現し、会話するための声、健康を保ち、病を治してくれる驚くべき免疫機能、生存するために完璧に機能している全ての内臓器官などにも感謝して下さい。また、どのコンピューターも真似ができない人間の素晴らしい脳に感謝して下さい。あなたの肉体はこの地球上でもっとも偉大であり、それを複製できるものはこの地球上にはありません。あなたは奇跡そのものなのです！

あなたの家、家族、友人達、仕事、ペットに感謝して下さい。太陽、飲む水、食べ物、空気に感謝しましょう。そのどれがなくても、あなたは生きてゆけません。

樹木、動物、海、鳥、花、植物、青空、雨、星、月、そして私達の美しい地球に感謝しましょう。

あなたが毎日利用する交通手段、快適な生活を送るために基本的なサービスを提供してくれる会社に感謝して下さい。あなたが水道栓をひねるだけできれいな水が飲めるようにするために、多くの人々が必死に働きました。あなたがスイッチを押すだけで電気が使えるようになるために、多くの人々が命をかけて働いてきました。世界中を繋げるための鉄道網を建設するため永い永い年月をかけて献身的に働いた多くの人々のことを考えて下さい。世界中の人々を繋ぐ道路網を建設するために、どれほど多くの人達が骨の折れる仕事をしてくれたのか、想像もできません。

「普段、私たちは与えたものよりもずっと多くを受け取っていることに、ほとんど気づいていません。そのことに感謝して初めて生活は豊かになります」

ディートリッヒ・ボンヘッファー（一九〇六～一九四五）
ルター派神学者

感謝のパワーを使うにはそれを実践するしかありません。感謝をすればするほど、愛を与えます。愛を与えれば与えるほど、多くのものを受け取ります。

体調が良い時、きちんと健康に感謝していますか？　病気とか痛みがある時だけ、健康の有難さを意識していませんか？

良く眠れることに感謝していますか？　或いは、眠れることを当然だと思い、眠れない時だけ睡眠のことを考えますか？

全てが順調に行っている時に、あなたは愛する人々に感謝しますか？　それとも問題のある時だけ人間関係について考えますか？

電気製品のスイッチを入れる時に電気に感謝していますか？　それとも停電の時だけ電気のことを考えますか？

毎日生きていることに感謝していますか？

どの一瞬も、愛するものに感謝し、それを増やすチャンスです。私は自分を感謝する人間だと思っていましたが、毎日実践してみて初めて本当の感謝の意味がわかりました。

私は運転する時も散歩する時も人生のすべてのものに感謝するようにしています。台所から寝室に行くまでの間でも感謝するのです。「私の人生に感謝します。調和のとれた状況に感謝します。喜びに感謝します。健康に感謝します。楽しさとわくわく感に感謝します。人生の奇跡に感謝します。私の人生での素晴らしく良きものに感謝します」と心を込めて言います。

感謝しなさい！　感謝するのに一銭もかかりません。感謝は世界中のどの富よりも価値があります。感謝すれば感謝するものが何倍にもなり、あなたの人生は豊かなものに囲まれるのです。

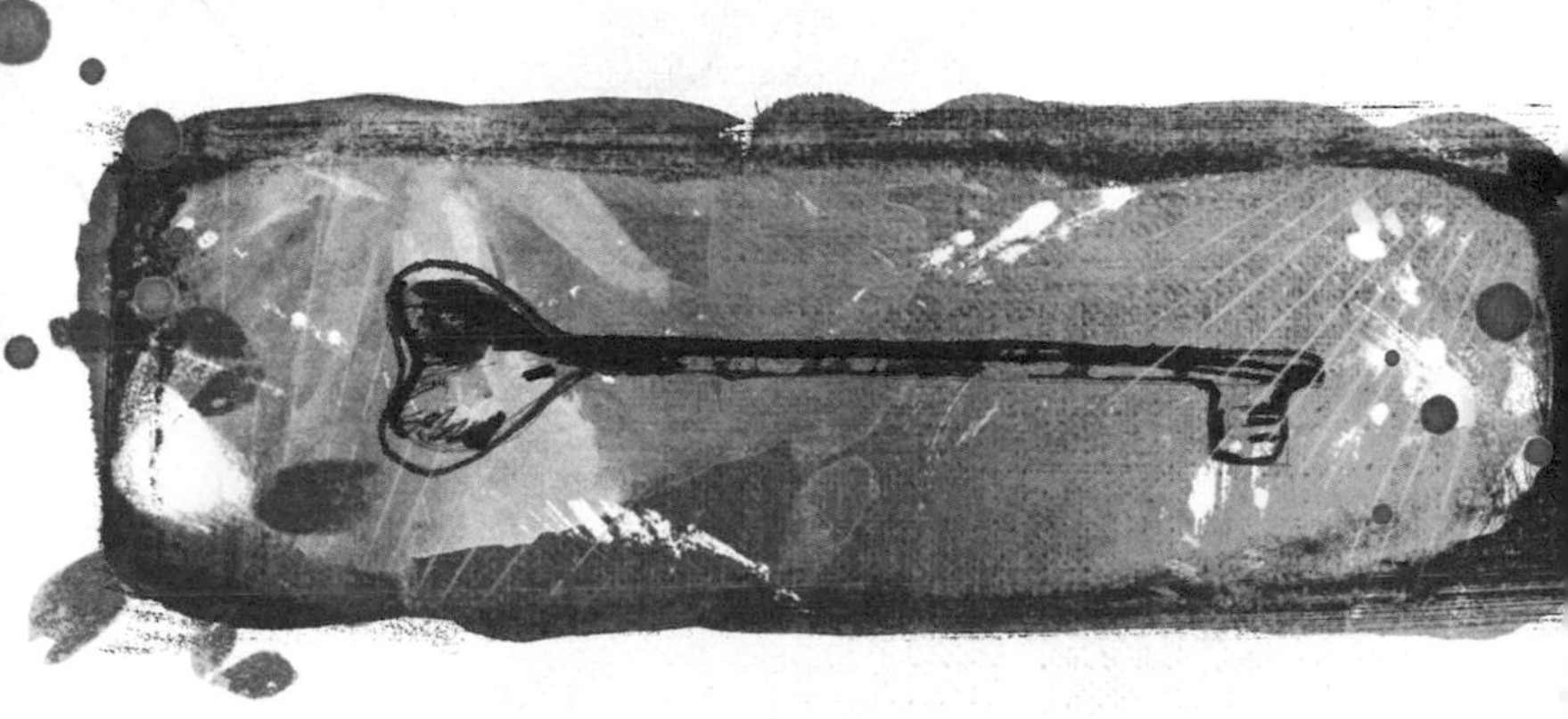

遊びの鍵

人生のどんな問題に対しても、気分良く感じられるようになる確実な方法が一つあります。それは想像を使って遊ぶゲームを作り出すことです。遊びは楽しいものです。遊ぶと本当に気持ち良くなります。

私達はある時点で、子供の頃のように遊びを楽しむことをやめて、結果として大人になるに従って人生を深刻に考えるようになりました。しかし、深刻になると、あなたの人生に深刻な状況がもたらされます。遊びを楽しむと、心から幸せになります。そしてどうでしょうか！あなたの人生に素晴らしい状況がやってきます。

人生は楽しくあるべきです。引き寄せの法則を使って遊び、想像でゲームを発明しましょう。なぜなら、引き寄せの法則は、あなたが想像して遊んでいようが、それが現実であろうが、そんなことは知りもしないし、完全に無関心なのです。あなたが想像し感じるものは何であれ、あなたの現実になるのです！

遊び方

「愛の法則を学び理解するには、幼い子供たちを通して学ぶのが一番です」

マハトマ・ガンジー（一八六九〜一九四八）
インドの政治指導者

あなたはどうやって遊べばよいのでしょうか？　子供の頃と同じことをすればよいのです。つまり、想像力を使って、「〜ごっこ」をするのです。

例えば、自分は自転車レーサーで、世界で最高のレーサーになってツール・ド・フランスでの優勝を望んでいると想像します。あなたのトレーニングも順調で夢も実現しそうな時に、生存率が四〇パーセントの病気だと診断されたとします。治療を受けている間、人生を賭けたツール・ド・フランスに参加していると想像します。それはあなたの人生のレースです。医療スタッフはあなたのトレーニングチームだと思います。彼らはチェックポイントにいて声をかけてくれます。毎日、練習の記録を測り、その記録がどんどん伸びていると想像します！　そしてあなたが医療チームと共に競技で優勝し、その病気も治っているのです。

そうして健康を取り戻した一年後、あなたはツール・ド・フランスでも優勝します。そのまま七年連続優勝し、史上初の快挙を達成した唯一のサイクリストになるのです！　これはまさにランス・アームストロングの実話です。彼は最も困難な状況を利用して、想像のゲームを作り出し、自分の夢を実現したのでした。

またはあなたは世界一の筋肉をした肉体を持ち、全米で最も有名な俳優になりたいとします。ヨーロッパの小さな町に生まれ貧しい家庭で育ったにもかかわらず、そんな夢を抱きます。自分の肉体を鍛えるために英雄の写真を参考にし、ボディービルディングのヨーロッパ大会で優勝することを想像します。それに七回連続優勝し、今度は有名な俳優になる番が来ました。アメリカに渡りますが、誰もあなたのことを役者の器だとは思ってくれず、なぜ役者に向かないかまで説明します。しかし、あなたは有名な俳優になることを思い描きつづけて、その成功を感じ、堪能することもでき、その通りになることも分かっていました。これはアーノルド・シュワルツェネッガーがミスター・オリンピアに七回連続優勝し、ハリウッドで最も有名な俳優になった時の実話です。

あなたが偉大な発明家になりたいと思っていると想像して下さい。子供の頃、あなたはとても深刻な体験をしました。幻覚や目をくらますような光に圧倒されたのです。その後、神経衰弱になって大学を中退し、仕事も辞めることになります。その辛い幻覚から安らぎを得るために、想像の世界を創り、自分の意識を支配するようになります。より明るい未来というアイディアに啓発され、想像力を使って新しい発明に専念します。想像の世界で発明を完成させ、スケッチを一切描くことなく、建築を変え、改善し、その機械も操作します。心の中の実験室で現実の装置を作る前に、想像力を使って耐久性など、色々と新しい発明を試しました。これは、ニコラ・テスラが偉大な発明家になるために行ったことです。交流電流モーター、ラジオ、アンプ、無線通信、蛍光灯、レーザービーム、リモコンといった三百もの特許は、同じ方法、つまり想像力を使って発明されたのです。

「論理は、あなたをAからBへと連れて行きます。しかし、想像はあなたをあらゆるところに連れて行ってくれます」

アルベルト・アインシュタイン（一八七九〜一九五五）
ノーベル物理学賞受賞物理学者

あなたが欲しいものが何であれ、想像を使い、ゲームを作って遊びなさい。あなたにとって役に立つものは何でも利用しましょう。減量しスリムな体になりたければ、その理想の体になった気分を味わうためのゲームを作りましょう。素敵な肉体の写真を飾りましょう。ただ、その肉体を自分のものだと想像しなければなりません。他人でなく自分の体の写真を見ていると想像し、感じるのです。

あなたが今仮に、完璧な体重だったとしたらどう感じるでしょうか？　現実のあなたが太り過ぎでもやせ過ぎでも、今と違った感じがするでしょう。そしてあなたの全てが変わるでしょう。歩き方や話し方や行動の仕方が違ってくるのです。今それが実現したかのように歩いたり、話したりしなさい！　今それを持っているかのように行動しなさい！　あなたが何を欲しいかは関係ありません。それが実現した場合はどういう感じがするかを想像し、想像の中でそのように行動するのです。あなたが想像し、それが実現した気分まで味わうとそれを引き寄せの法則に伝えているので、あなたは必ずそれを受け取ることになります。

ランス・アームストロング、アーノルド・シュワルツェネッガー、ニコラ・テスラ等といった人々は自分達の想像力で遊び、心の底から夢を抱きました。自分達の想像があまりにも鮮明だったので、夢をリアルなものとして感じ、それが現実になるのが分かりました。夢がどれだけ遠くに感じられようと関係ありません。実は、その夢があなたに一番近いのです。なぜならば、その夢を現実化する力はあなたの内側にあるからです。

「信じる者にはどんなことでも可能である」

イエス（紀元前五頃〜紀元三〇頃）
キリスト教の創始者　マルコ伝第9章23

これからも、想像の力についてもっと多くの発見があるでしょう。既に科学者は特別なミラー細胞が、人が実際に肉体を動かす時とそれを想像する時に、全く同じ脳の部分を活性化させることを発見しています。言い換えると、経験したふりをしたり想像したりすると、人の脳は、あたかも本当に経験したように反応するのです。

あなたが何か過去や未来のことを話す時は、そのことを今、想像し、感じ、それと同じ波動を持っています。引き寄せの法則が受け取るのはまさにその波動なのです。あなたが自分の夢を想像すると、それを引き寄せの法則がその瞬間に受け取るのです。引き寄せの法則には時間は関係がないことを覚えておいて下さい。今というこの瞬間しかないのです。

欲しいものが中々手に入らない場合は、あなたがその望むものと同じ感覚の周波数になるまでに時間がかかっているからです。あなたの望みと同じ周波数になるためには、今望みがかなったという愛を感じなければいけません！　あなたが欲しいものと同じ波動になり、そこにいつづければ、欲しいものは現実に現れます。

「あなたが欲しいものや望むものはすべて既にあなたのものです。あなたの願望が満たされたと想像しその気分になって、現実化して下さい」

ネヴィル・ゴダード（一九〇五～一九七二）
ニューソート作家

何かの出来事にわくわく興奮し魅了された時には、そのエネルギーをとらえて、あなたの夢をイメージして下さい。欲しいものへの興奮したパワーを利用するためには、夢を感じ、素早く想像しさえすれば良いだけです！　これは遊びです。楽しいです。人生を創造していく喜びなのです。

パワーのポイント

愛の鍵

●愛をあなたの生活で究極的な力として使うためには、これまでにない程深く愛さなければなりません。人生に恋をしましょう！

●愛だけを見たり、聞いたり、愛の事だけを話しましょう。そして心から愛を感じましょう。

●あなたが感じる愛の量には限界も上限もありません。愛は全てあなたの内側にあり、あなたは愛で出来ているのです。

●あなたが毎日何を愛しているかを特定して、それに対しどの様な感情を抱いているかを引き寄せの法則に示してあげて下さい。

●どの様に感じるかを変えるため、或いは、良い気分を更に高めるため、あなたが愛し、大好きなもののリストを頭の中で作ってみましょう。

●毎日出来る限り愛すること。それがあなたの仕事です。

●周囲にあるあなたが愛するものにたくさん気付くように、毎日できる限り意識的に努力しましょう。

感謝の鍵

- 感謝する度に、あなたは愛を与えています。
- 今までに人生で受け取ったものに感謝しましょう（過去）。
今、人生で受け取っているものに感謝しましょう（現在）。
将来欲しいものをまるで受け取ったかのように感謝しましょう（未来）。
- 感謝すると人生のあらゆるものが倍増します。
- 感謝は後ろ向きの感情から抜け出て、愛の力を利用するための架け橋です。
- 感謝のパワーを使うためには、練習しなさい。あなたに何か良い事が起きたら感謝しましょう。どんな小さなことでも良いのです。「ありがとう」と言いましょう。
- 感謝を感じれば感じる程、あなたは多くの愛を与えます。そして愛を与えれば与える程、多くを受け取ります。
- 一秒一秒が感謝し、愛するものを増やす大切なチャンスです。

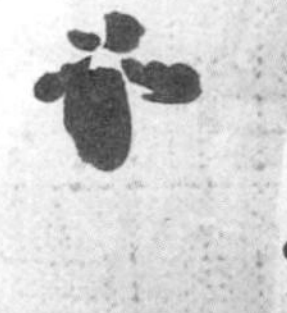

遊びの鍵

- あなたが遊んでいてとても気持ちが良い時は、あなたに素晴らしい状況がもたらされます。深刻な気持ちは深刻な状況をもたらします。
- 人生は楽しいはずです！
- 引き寄せの法則は、あなたが想像して遊んでいるのかどうか、わかりません。ですから、あなたが想像したり、遊んだりして送り出したものも、現実になります！
- 欲しいものが何であろうと、想像力を使い、色々な小道具を使い、ゲームを考え出し、そして遊びましょう。
- まるで既にそれを手にしたかの様に振舞いなさい。感情を込めて想像したものは何でも、引き寄せの法則に手渡したことになり、あなたはそれを受け取るに違いありません。
- 欲しいものの入手が遅れる経験があるならば、それはあなたが欲しいものと同じ感情の周波数に乗るのに時間がかかっているからです。
- あなたが何かにわくわく興奮している時、そのエネルギーをつかまえ、そして、自分の夢を創造しましょう。

ザ・パワーと
お金

「貧困とは貧しいと感じることである」

ラルフ・ワルド・エマーソン（一八〇三～一八八二）

超越主義者・作家

お金のことをどう感じますか？　ほとんどの人はお金を大好きだと答えるでしょう。しかし、十分なお金を持っていないときは、お金について気分良く思いはしないでしょう。もし必要なお金が全部あれば、だれでもお金のことを良く思うはずです。だから、必要なだけ持っていないとお金のことを良く思わなくなってしまうので、私達は自分がお金についてどう感じているか、自分でわかるのです。

世の中を見渡すと、大多数の人達がお金のことを良く思っていない事に気がつきます。それは世界中のお金の大部分が世界の約一〇パーセントの人々によって握られているからです。金持ちとそうでない人との違いは、金持ちはお金のことを良く思っていて嫌いでないことです。話はそれ程簡単なのです。

なぜこれ程多くの人がお金のことを良く思わないのでしょうか？　お金を十分に持ったことがないからでしょうか？　いいえ、お金持ちだって、最初はゼロから出発しているのです。実は、多くの人々がお金について否定的な考えを持っているからです。それもその考えは子供の頃に潜在意識に植え付けられてしまったのです。「そんなものを買うお金はありません」、「お金は悪だ」、「金持ちは嘘つきだ」「お金を欲しがるのは良くないことだ、スピリチュアルではない」、「お金持ちになるには苦労が伴う」というような信念を植え付けられているのです。

子供の頃は、両親、先生、社会が教えることを私達はそのまますべて受け入れます。その結果、無意識にお金に関して否定的な感情を持って成長するのです。皮肉なことに、お金を欲しがるなと教えられるのと同時に、たとえその仕事が気に入らなくても生活のためには稼ぎなさいと教えられます。また、生活費を稼ぐためにお前に出来る仕事は限られた職種しかないのだよとまで言われたかもしれません。

そのどれも正しくありません。あなたにそれを教えた人々は自分達が信じていて本当だと感じていることをそのまま伝えているだけですから、彼らに罪があるわけではありません。しかし、それを信じたが故に、引き寄せの法則によって、それが彼らの人生における真実となったのです。あなたは既に、人生は全く違った仕組みで出来ていることを学びました。あなたがお金に困っているとしたら、それはお金を愛する気持ちよりもお金に対する嫌悪感の方が勝っているからなのです。

「不足しているものが何もないことに気がつけば、全世界はあなたのものです」

老子（紀元前六世紀頃）
道教の創始者

愛は持続するパワーです

私は質素に育てられました。両親は金持ちになりたいとは思っていなかったのですが、生活のやりくりには苦労したようです。ですから、私は他の人と同様、金銭に対して否定的な信念を抱いて育ちました。状況を変えるには金銭に対する意識を変える必要があることは分かっていました。自分をガラリと変えて、お金がただやってくるだけでなく自分のもとにとどまるようにしなければならないことも知っていました。

お金持ちはお金を引き寄せるだけでなく、自分のそばにとどまるようにしているのです。全世界のお金を集め、それを全人類に平等に分配しても、すぐに、元の少人数の人の手に戻ってしまうでしょう。引き寄せの法則は愛に従わなければならないからです。つまり、お金のことを良く思っている数パーセントの人々が、磁石の様にお金をまた引き寄せてしまうからです。愛の力が引き寄せの法則に従って世界中のお金と富を動かしています。

「愛の法則は永遠かつ基本的な原則で、万物、全ての哲学や宗教、全ての科学に内在しています。何者も愛の法則から逃れることはできません」

チャールズ・ハーネル（一八六六〜一九四九）
ニューソート作家

宝くじに当たった人を見ると引き寄せの法則が働いていることがよくわかります。その人達は、当選を心から願い、想像しその気持ちになったのです。彼らは、「もし、宝くじに当たったら」ではなく「宝くじに当たった時は……」という話をし、実際に当たった時に何をするかまで想像し、計画したのです。そして当選したのです！　しかし、宝くじ当選者の統計は、彼らのもとにお金がとどまったかどうかを良く示しています。数年後、当選者の多くはお金を失い、当選前よりももっと多額の負債を抱えているのです。

その人たちは当選するために引き寄せの法則を使ったものの、お金を受け取ったあともお金に対する感情を変えなかったため、全てを失ったのです。お金は彼らに定着しなかったのです。

お金の事を良く思っていなければ、お金は剝がれ落ちてしまいます。決してあなたにくっつきはしません。思いがけず受け取った余分なお金は、すぐ指の間をするりと抜けてしまうでしょう。多額の請求書が届き、多くのことが壊れ、色々予見し得ない状況が発生し、あなたはお金を使い果たし、全てを失ってしまうのです。

それでは、どうすればお金はあなたのもとに定着するのでしょうか？　答えは愛です！　愛こそがお金を引き寄せ、定着させてくれるパワーなのです！　あなたが善人か悪人かは関係がありません。あなたがどのような人物であれ、そんなことは問題ではありません。あなたは自分で意識しているよりも遥かに偉大な存在だからです。

お金を引き寄せ、定着させるためには、お金に対して良い感じを抱き、愛を与えることが必要です！　もし今お金が足らず、クレジットカードの負債が増えていたら、あなたにお金を身につけるパワーはなく、むしろお金を自分から引き剥がしているのです。

今あなたがどういう財政事情にあるか、あなたの商売や国や世界の経済がどうなっているかは問題ではありません。希望のない状況なんてないのです。その証拠に、引き寄せの法則を知っていたために、大恐慌の時にさえ繁栄していた人もいます。彼らは欲しいもの

を思い描き、それを手にした時の気持ちになることによって引き寄せの法則を貫き、彼らを取り巻く環境などは問題にしませんでした。

「人生を素晴らしいものにしよう。そうすれば時代も良くなる。我々が時代を創るのだ。我々が良くなれば時代も良くなるのだ」

ヒッポの聖アウグスティヌス（三五四～四三〇）
神学者・カトリック司教

愛の力はどんな困難な障害も状況も打ち砕きます。世界中にある問題も愛の力を利用すれば障害となりません。時代が上り坂であろうが下り坂であろうが、引き寄せの法則は同じようなパワーで作用します。

お金に対する気持ちをどのように変えるのですか

お金に対する気持ちを変えれば、あなたが日々手にする金額も変わってきます。お金について良く思う程、あなたは磁石のようにお金を引き付けます。

お金があまりない時に請求書を受け取ったら良い気持ちはしません。しかし、その時否定的に反応した途端、良くない感情を発して、もっと多くの請求書が届くでしょう。あなたが発したものが返ってくるのです。ここで一番大切なことは請求書のお金を支払う時に、何とか方法を見つけて気分を良くすることです。嫌な気分の時には絶対に請求書を払わないようにしましょう。そういう時に支払うと次々と多額の請求がやってきてしまうからです。

自分の気持ちを変えるには、そうした請求書を自分にとって心地良いものにするために想像力を使う必要があります。それを請求書だと思う代わりに、請求書を送って来た会社や人が提供してくれるサービスに対する、心からの感謝の寄付だと思いましょう。

請求書のことを受け取った小切手だと想像して下さい。或（ある）いは、住宅に住める、電気の供給を受けられるなど、多くの恩恵を授与してくれた請求書の送り主の会社に感謝するチャンスだと思うこともできます。支払う時請求書に「ありがとう。支払い済み」と書いたらどうでしょう。もし今支払うお金がない場合、請求書に「お金を下さってありがとう」と書きましょう。引き寄せの法則はあなたの思いや感情が本物であるかどうかは気にしま

せん。あなたが与えるものにただ反応します。ただ、それだけです。

「仕事やそれに費やした時間に応じてではなく、あなたの愛の度合いに応じてあなたは報われます」

シエナの聖カトリーヌ（一三四七〜一三八〇）
カソリック教会の哲学者・博士

給与を受け取ったら感謝して下さい、そうすれば何倍にもなります。ほとんどの人が、その給与をもらった時でさえ、そのお金で足りるかどうか不安で良い気分になれません。給与を受け取る時こそ、愛を与えるチャンスなのにもかかわらず、人はそのチャンスをうまく活用しません。どんなに少しでもお金が手に入った時は感謝して下さい！　あなたが感謝すれば何であれ何倍にも増えることを思い出して下さい。感謝は偉大な増幅器なのです！

遊べる機会を全て捉（とら）えましょう

気分を良くすることによってお金を増やすために、お金を扱うあらゆる瞬間を使いましょう。何に対しても、お金を支払う時は愛を込めましょう！　お金を手渡す時にも愛を感じましょう。つまり、あなたのお金によって、会社の社員やその家族がどれだけ助けられているかを想像しながら、心からの愛を込めて渡すのです。お金が減ってしまったと感じて暗い気持ちになるのではなく、与えたことでいい気持ちになりましょう。この気持ちの違いが残りの人生をお金持ちで過ごすか、或いはお金に困って苦しむかの差となって現れます。

お金を扱う度に良い気分になるゲームを教えましょう。お札を想像しましょう。千円札の表面はたくさんのお金を意味し、ポジティブを表していると想像して下さい。千円札の裏面はお金の不足を意味し、ネガティブを表していると想像して下さい。千円札を使う度に表面が上になるように意識して下さい。札入れに入れる時も表面が自分に面しているように入れるのです。お金を手渡す時も表面が上になるように気をつけて下さい。こうすることによって、潤沢なお金は気分の良いものであることを思い出すための合図として、

お札を利用するのです。

クレジットカードを使う場合、あなたの名前がある面を表にして下さい。カードの表側は潤沢にお金のあることを知らせてくれ、その上、あなたの名前までそこに記されているからです。

カードかお金で支払をする時、それを渡している相手がたくさんのお金を手にすると想像してあげて下さい。あなたは自分が与えるものは何であれ、受け取ります！

今裕福である自分を想像して下さい。必要なお金が十分にあると思って下さい。あなたはどんな風に今までとは違うように生きますか？　あなたがすること全てを考えてみましょう。どう感じますか？　今までとは違うように感じ、そのために歩き方も今までとは違ってきます。今までとは違うように話します。あなたの姿勢や動き方も今までとは変わります。ものごとに対する反応の仕方も変わるでしょう。請求書に対する反応も変わるでしょう。人々、環境、出来事など全てのものに対するあなたの反応が変わるはずです。それはあなたの感じ方が変わったからです！　あなたは気持ちが楽になり、心も穏やかになり、幸せな気持ちになるでしょう。全てのものに対してゆったりとした気分になるでしょう。

明日のことを心配しないで毎日を楽しく過ごすでしょう。あなたはそういう気分になりたいのです。それがお金に対する愛の気持ちで、その気持ちは磁石の様に力があります。

「あなたが望むものを手に入れた場合に感じる気持ちをとらえて下さい。すると、あなたの願望は自ずと物質化します」

ネヴィル・ゴダード（一九〇五〜一九七二）
ニューソート作家

お金に対して「イエス」と言いなさい

誰かがお金持ちになった時や成功した時にはあなたもワクワクして喜びなさい。すると、あなたもその素晴らしい波動に乗るからです。まるでそのことがあなたに起きているかのようにワクワクすることが大切です。なぜなら、そのニュースに対するあなたの反応が全てだからです。誰かに対して喜びと興奮で反応すれば、自分のお金や成功に対して「イエス」と言っていることになります。逆に自分が成功し、金持ちになった訳ではないのだと思って、がっかりしたり羨んだりして嫌な気持ちになると、自分のお金や成功に対して

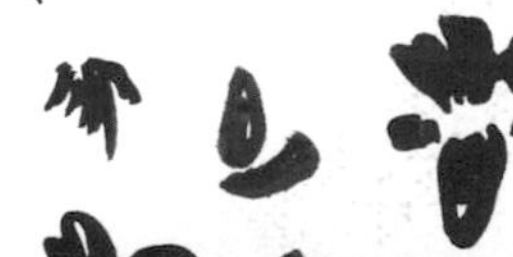

「ノー」と言っていることになります。誰か他の人が宝くじに当たったり、ある会社が記録的な利益を出したりしたら、その人達のためにワクワクし、喜んであげて下さい。そのニュースを聞いたということは、あなたがそれと同じ波動と共にいることを意味し、それに対して心地良い反応をすれば、自分のために「イエス」と言っているのです。

数年前に、私はこれまでの人生で最もお金に困ったことがありました。たくさんのクレジットカードを上限まで使い、自宅のマンションは最高限度額まで抵当に入り、「ザ・シークレット」という映画を製作するために私の会社は何百万ドルもの赤字でした。私の財政状況はどん底だったと思います。引き寄せの法則のことを知っていました。お金を引き寄せるためには良い気分にならなくてはならないことも分かっていました。そしてどうしてもその映画を完成させるためお金が欲しかったのです。しかし、毎日借金がかさんでゆき、スタッフ達の給与をどう払えば良いか皆目見当がつかなくて、話はそう簡単ではありませんでした。そこで、私は思い切った行動に出ました。

私はATMで、カードで何百ドルか引き出しました。そのお金は請求書への支払いと食糧を買うためにどうしても必要だったのですが、私はそのお金を握りしめて混雑した通りへと出ると、街の人々にわけてあげました。

私は五〇ドル札を手に握り、歩きながらどの人にお金をあげるか決めるために、一人一人の顔を見つめました。全員にあげたかったのですが、金額が限られていました。そこで心の赴くままにあらゆる種類の人々にお金をあげました。その時です。生まれて初めてお金に対する愛情が湧いて来たのです。しかし、愛情を私に感じさせたのはお金そのものではなく、お金を人々にあげるという行為でした。その日は金曜日でした。その時以来、週末になるといつも、お金をあげることがどんなに素晴らしいことか感動し、喜びの涙を浮かべたものです。

すると月曜の夕方に驚くべきことが起こりました。私の銀行口座に信じられない成り行きで二万五〇〇〇ドルが振り込まれたのです。文字通り、二万五〇〇〇ドルが空から私の人生と口座に降ってきたのです。実は、その数年前に、友人の会社の株を購入していました。でも、あまりにもその株価が低迷していたためすっかりそのことを忘れていました。しかし、月曜日の朝、その株が急に上昇したので売ってはどうかと勧める電話がかかってきたのです。そういう訳で、月曜日の夕方にはその売却代金が私の口座に入ったのでした。

私はより多くのお金を手にするためにお金を配ろうと決めた訳ではありません。お金に対して愛情が湧いてくるようにそうしたのです。それまでずっとお金のことを良く思っていなかったのでそれを変えたかったのです。もし、お金を得るためにばらまいたのならば、うまくはゆかなかったでしょう。それでは、お金がないというネガティブな思いが動機になっていて、愛が動機になっていないからです。でも、お金を配り、配りながらお金に対して愛情を感じれば、お金はきっと自分に戻ってくるでしょう。一例をあげましょう。ある男性がチャリティーに共感して一〇〇ドルの小切手を寄付しました。その小切手を書いてから十時間以内に彼の会社は創業以来最高値の売り上げとなりました。

「大切なのはどれだけ与えるかではなく、与える時にどれだけの愛を込めるかです」

マザーテレサ（一九一〇〜一九九七）
ノーベル平和賞受賞修道女

お金に困っている時は、お金のことを本当に良く思うためには、その日に街で出会う人々に、お金は豊かにあるという思いを送りましょう。一人ひとりの顔を見て、その人達にたくさんのお金をあげる自分を想像し、その時彼らの喜ぶ姿をイメージするのです。その喜びを自分も感じ、次の人にも同じことをして下さい。それは簡単なことですが、喜びを本当に感じれば、お金に対するあなたの気持ちも変わり、あなたの人生における財政事情も変わるでしょう。

職業とビジネス

「心のない天才は無価値です。秀でた理解力だけ、あるいは知性だけ、または、その双方を兼ね備えているだけでは天才とは言えません。愛！　愛！　愛！　愛こそが天才の魂なのです」

ニコラウス・ジョセフ・フォン・ジャッキン（一七二七〜一八一七）

オランダの科学者

愛の力が世の中のお金を動かします。明るい気持ちで愛を与えている人は磁石の様にお金を引き寄せます。あなたはお金を稼いで自分を証明する必要はありません。あなたには、既にそのままで必要なだけのお金を受け取る価値があります！　あなたは今必要なお金を受け取るのにふさわしいのです！　あなたは喜びのために働くべきです。わくわくし、ぞくぞくするから働くのです。あなたは自分の職業が大好きだから働くのです！　自分がしていることを愛すれば、自然とお金はついてきます！

これしかお金を稼ぐ方法がないと思って嫌な仕事をしているのであれば、お金はやって来ませんし、好きな職にも就けません。あなたの愛する仕事は既に存在しています。そしてそれを手に入れるためには愛を与えるだけで良いのです。その仕事に就いているところを想像し、その気持ちを感じれば、それを受け取ります。今の職業で良いところを全てあげて下さい。そしてそれに愛を与えましょう。愛を与えると、愛する全てのものが次々と実現するからです。そして愛する仕事に自然と就けるようになるのです！

失業した男性がずっと以前から就きたかった仕事に応募してみました。暫(しばら)くしてその男性は、オファーと給与と仕事の詳細が説明してあるその会社からの手紙を作りました。その会社のロゴが入った自分の名刺を作り、その会社で働かせてもらう感謝の気持ちを込めてそれを見つめました。また、自分あてのお祝いメールを数日おきに出しました。

この男性は、電話インタビューに合格し、十人の試験官との面接に進みました。そして面接の二時間後、会社から採用通知をもらいました。しかも想像上の手紙に書いた金額を遥かに上回る高給で、彼はずっと憧れていた職業に就けたのでした。

たとえ人生で何がしたいのか分からなくても、良い気持ちになって愛を与えれば良いだけです。すると全ての愛するものを磁石のように自分に引き寄せる事ができます。愛の感情があなたを目標へと導いてくれます。あなたの理想とする職業は愛の波動を出しており、それを受け取るには、その波動に同調すれば良いだけなのです。

「成功は幸せの鍵ではありません。幸せが成功への鍵なのです」

アルベルト・シュワイツァー（一八七五〜一九六五）
ノーベル平和賞受賞医療伝道師・哲学者

ビジネスでの成功も全く同じ様にもたらされます。自分が望むようには事業がうまくいっていない場合は、あなたのビジネスに引き付けるものがないのです。引き付ける力を弱くしている一番大きな原因は、成功していないことへの嫌な感情です。ビジネスがそれまでうまくいっていても、事業が少し落ち込んだだけで嫌な気分になると、その事業は更に下降線をたどります。あなたの事業を想像以上に急上昇させるためのインスピレーションやアイディアは、愛の周波数上にあります。できる限りの最高の波動に達するためには、自分の事業に対して愛を感じる方法を見つけましょう。

気分を高揚させるために何でもやって下さい。遊びやゲームでも良いのです。気分が高まるとビジネスも回復します。日々、どんな時にも自分の周囲のもの全てを愛し、他の会社の成功を自分のものの様に喜びましょう。成功に対して本当に良い気持ちになれば、それが誰の成功であろうと、あなたは成功を呼び寄せます。

ビジネスや、またはどんな仕事や役割をしようと、利益や給与として受け取るお金に必ずその金額と同じ価値を与えて下さい。受け取る金額よりも低い価値を与えると、あなたのビジネスやキャリアは失敗になるでしょう。他の人から奪うことは自分のものを奪うのと同じことです。受け取るものと同じ価値を与えて下さい。それを確実に行うためには、受け取る金額以上の価値を与えればよいのです。受け取るお金以上の価値を与えれば、あなたのビジネスやキャリアは飛躍的に上昇するでしょう。

愛を受け取る方法は無限にあります

お金は人生で自分が好きなことやものを体験するための手段に過ぎません。お金で何ができるかを考えてみると、お金のことだけを考える時よりも、遥かに多くの喜びや愛を感じるでしょう。愛する人と一緒にいる場面とか、大好きなことをしている情景とか、欲しいものを手に入れた時の気持ちなどを想像して下さい。すると、お金だけを想像する時よりも、遥かに多くの愛を感じることが出来ます。

愛の引き寄せの力は、あなたが欲しいものを受け取るための無数の手段を用意しています。お金はその一つの手段に過ぎません。何かを手に入れるためにはお金だけが唯一の手段だと勘違いしないで下さい。それは狭い考えで、そう考えると人生も制限されてしまいます。

私の妹はびっくりするような不思議ないくつかの事件によって、新車を引き寄せました。彼女は車で通勤中に、突然の洪水にあい、車は水の中で立ち往生してしまいました。危険を感じるほど水位は高くなかったのですが、緊急救助員が強く言うので彼女は安全な場所に運ばれました。妹はその間ずっと笑っていて、その救出劇は夜のテレビニュースで放映されたほどでした。車は修理が出来ないほど水で損傷してしまったのですが、二週間も経たない内に多額の小切手が届きました。妹はそれで夢に見た新車を購入したのです。

この話の一番素敵な部分は、妹はそのころ、家を改修していて、新車を買う余裕などはなかったところです。新車を買うなど、彼女は考えもしていませんでした。妹がその新車を引き寄せた原因は、他の兄弟が新車を購入したと聞いた時、うれし涙を流して喜んだからでした。それを自分のことのようにとても喜び、愛を与えたために、引き寄せの法則があらゆる状況や出来事を動かし、妹にも新車をもたらしたのです。これこそが愛の力なのです！

実際それを手にするまで、どの様な方法でそれを手にするのかあなたには分かりません。しかし、愛の力は知っています。自分の考え方の枠からぬけ出て信じなさい。欲しいものをイメージし、心のうちの幸せを感じましょう。すると愛の力が完璧な方法でそれをあなたにもたらします。人間の頭脳には限界がありますが、愛の知性に限界はありません。それは私達の理解力を超えています。何か欲しいものを手に入れる唯一つの手段はお金だなどと考えて人生を制限しないで下さい。お金を唯一つの目標にせず、自分が何になりたいのか、何をしたいのか、何を持ちたいのかを目標にしましょう。新しい家が欲しければ、そこに住んでいる事を想像し喜びを感じましょう。綺麗な服、電気製品や車が欲しければ、また大学に行きたかったり、海外に引っ越したり、音楽や演劇やスポーツの訓練を受けたりしたいのであれば、それをイメージしなさい！　するとどれも数え切れない程の様々な方法であなたにもたらされるでしょう。

愛のルール

お金についてルールが一つあります。それはお金を愛より優先することはできないということです。お金を愛より優先させると、愛の引き寄せの法則を破ることになり、その結果、苦しむようになります。あなたの人生を支配する力は愛でなければなりません。愛より大切なものはありません。お金は手段に過ぎません。そして愛によって、お金を得ることができるのです。もしお金を愛より優先させると、いろいろな不幸をもたらす原因となります。お金を得るために愛を与えることはできません。それでは人々に対して無礼で愛のない態度になります。すると、あなた自身の人間関係、健康、幸せ、財政事情に否定的なものを招き入れてしまうからです。

「愛が欲しければ、唯一の方法は愛を与えることだときづきなさい。愛は与えれば与えるほど、戻ってきます。愛を与えることができる唯一つの方法は自分を愛でいっぱいに満たすことです。あなたが愛を引き寄せる磁石になるまで」

チャールズ・ハーネル（一八六六〜一九四九）
ニューソート作家

あなたは充実した人生を送るために必要なお金を得るように生まれついています。お金がなくて苦しむようにはなっていません。なぜなら、苦しみはこの世に否定的なものをつけ加えてしまうからです。人生の素晴らしさとは、愛を一番大切にすると、充実した人生を送るのに必要で十分なお金があなたにもたらされることなのです。

パワーのポイント

●世の中の全てのお金を動かしているのは愛の引き寄せの力です。明るい気持ちでいることによって愛を与える人は、誰もがお金を引き寄せる磁石です。

●あなたはお金についてどう感じているか知ることが出来ます。なぜなら、必要なだけのお金がなければお金に対して良い感情はもてないからです。

●愛にはお金を引き寄せる力があります。そして、お金を定着させておく力もあります！

●請求書を支払う時、どんなことでもいいから、いい気持ちになる方法を見つけましょう。請求書をあなたが受け取る小切手だと考えましょう。或いは、あなたに請求書を送付してきた会社に感謝しましょう。

●お金が手に入ったら、どんな金額でも感謝しましょう！　感謝は偉大な増幅器であることをお忘れなく！

●何に対してもお金を支払う時、愛を感じましょう。持ち金が少なくなるからと言って嫌な気分になってはいけません。その違いはそれ以降の人生で潤沢にお金が手に入るか否かを決めます。

●お金に対して良い気分になるのが大事であることを思い出すためにお札を使いましょう。お札の表面を多額のお金を代表するポジティブな面と想像しましょう。お金を扱う度に意識的に表側が上に向くようにします。

●誰の成功かにかかわらず、成功に対して本当に気持ちよく祝福できれば、あなたにも成功がやってきます。

●給与でも利益でも、あなたが受け取るお金にそれに見合う価値を与えて下さい。自分がもらったお金にそれ以上の価値を与えると、あなたの商売は繁栄し、出世することが出来ます。

●お金は人生で大好きなことを経験するための道具に過ぎません。あなたが欲しいものを受け取るために愛は無限の手段を使います。お金はその手段の一つに過ぎません。

●あなたの大好きなものと一緒にいて、大好きな事をして、大好きなものを持っている自分を想像して下さい。そうすればお金の事ばかりを考えているよりも、はるかにたくさんの愛を受け取ります。

●人生が美しいのは、愛を一番大切にすると、あなたが充実した人生を送るために必要なお金が入ってくることです。

ザ・パワーと
人間関係

「ほんの少ししかかかわりのない人に対しても出来るだけ好意と親切と愛と思いやりを与えなさい。そしてそこから見返りを得ようとは思わないことです。するとあなたの人生は必ず、変わるでしょう」

オグ・マンディーノ（一九二三〜一九九六）作家

愛を与えることは人生のあらゆる面に適用される法則です。愛を与えることは人間関係の法則なのです。愛の力はあなたがその人を知っているか否か、敵か味方か、愛する人か全く知らない人なのかには関係がありません。また愛の力は、あなたの職場の同僚か上司か、両親か子供か、学生か店員かいずれに対しても変わりません。あなたは接する人に対して、愛を与えているか、与えていないかのどちらかです。そして、あなたは自分が与えるものを受け取ります。

人間関係は愛を与える最大の機会です。人間関係において愛を与えることによって、あなたは自分の人生を完全に変えることが出来ます。しかし、同時に人間関係は最大の落と

できるからです。

し穴になることもあります。なぜなら、人間関係を愛を与えない言い訳として使うことも

人に与えることは自分に与えること

歴史上の最も悟った人たちはみな、人を愛しなさいと教えています。良い人になるために人に愛を与えよと言っているのではありません。私たちに人生の秘密を教えているのです！　それは引き寄せの法則です。人を愛すると、あなたの人生は驚くほど素晴らしいものになります。人を愛するとそれに相応しい人生を受け取ります。

「律法の全体は『自分を愛するように、あなたの隣り人を愛せよ』というこの一句に尽きるからである」

聖パウロ（紀元五頃〜六七頃）
キリストの使徒　ガラテア人への手紙第5章14

人に親切にしたり、人を勇気づけたり、助けたり、人に感謝したり、好感を抱いたりし

て人を愛しなさい。するとそれが何倍にもなって自分に戻ってきます。そして、健康、金銭、幸福、仕事など人生の色々な面に愛がもたらされます。

人を批判したり、怒ったり、イライラしたり、またはなにか嫌な気分を発したりして他の人にネガティブなものを送ると、それは必ず自分に返ってきます。それも何倍にもなって返るだけでなく、もっとネガティブな事を引き寄せて、それからの人生に悪影響を及ぼします。

それは他人事ではありません

あなたの人間関係を見れば今まであなたが与えて来たものがわかります。今、素晴らしい人間関係があるということは、あなたがこれまで否定的なものよりずっと多くの愛と感謝を与えてきたことを意味します。今の人間関係が難しく問題だらけであるということは、あなたがついうっかりと、愛ではなく否定的なものを多く与えてきたということです。

ある人たちは、人間関係の良し悪しは相手次第だと思っています。しかし、人生とはそういうものではありません。愛の法則に向かって「私は自分を愛してくれる人だけ愛します!」とは言えないのです。あなたが先に与えない限り、あなたは何も受け取ることはできません。あなたは何であろうと与えたものを受け取るのです。それは相手の問題ではありません。あなた自身の問題です! あなたが何を与え、何を感じるかが全てなのです。

相手の良い面、評価できる点、感謝できる点を探すことによって、今すぐその人との人間関係を変えることが出来ます。意識的にその人の欠点ではなく、長所を探してみて下さい。きっと奇跡が起こります。あなたの目には、すごい事がその人に起こったように見えるでしょう。しかし、すごいのは愛の力なのです。愛の力は人間関係の問題を含めて、全てのネガティブなものを解消するからです。あなたはその人の愛すべき点を見つけて愛の力を使えば良いのです。すると全てが変わり、すばらしい人間関係になります!

愛の力によって人間関係を回復した例を何百と知っていますが、壊れかかった結婚生活を立て直した一人の女性の例が際立っています。この女性は一度は夫に対する全ての愛を無くしました。彼女は夫の近くにいることに耐えられないほどでした。彼女の夫は毎日不平をこぼし、いつも病気でした。彼は鬱(うつ)になり、怒りっぽくなり、彼女と四人の子供達を

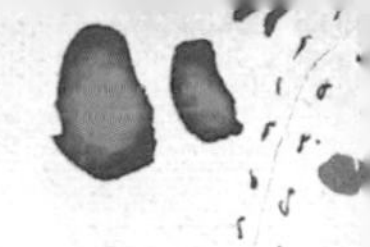

怒鳴り散らして虐待しました。

彼女は愛を与えることでパワーを得られることを学び、難しい結婚生活の中で、もっと幸せを感じるようにしようと決心しました。すると、あっという間に、家庭の雰囲気が明るくなり、四人の子供達との関係が以前よりずっと良くなりました。次に彼女はアルバムを取り出し、新婚時代の夫の写真を見ました。その中から数枚の写真を選んで机の上に置き、毎日見るようにしたのです。すると驚くべきことが起こりました。新婚当初の夫に抱いていた愛を再び感じたのです。愛が戻って来たと感じると、彼女の心の中で夫への愛は劇的に深まっていき、これまでの人生で感じたことが無いほど、夫を深く愛するようになりました。彼女の愛がとても大きくなったので、夫の鬱と怒りが消え、健康も取り戻し始めました。この女性は、夫からなるべく離れていたいという気持ちから一転して、なるべく永く一緒にいたいという夫婦関係に達したのでした。

愛とは自由を与えること

さて、ここで周りの人に愛を与えるときの留意点があります。多くの人がこの点を見逃したために、本来受け取るべき人生を受け取れませんでした。それは人に愛を与えるということが何を意味しているかを誤解しているからです。人に愛を与えるということはどういうことなのかをはっきりと理解するためには、人に愛を与えないということがどういうことかを理解する必要があります。

相手を変えようとすることは愛を与えないことです！　自分はその人にとって何が最善なのかが分かる、自分の方が正しくてその人が間違っている、などと思うことは愛を与えないことです！　また、批判や非難をしたり、不平や小言を言ったり、人のあらさがしをすることも愛を与えないことです。

「憎しみは憎しみによって克服することはできない。憎しみは愛をもって克服される。これは永遠の法則である」

ゴータマ・仏陀（紀元前五六三～四八三）
仏教の創始者

ここで私が受け取ったある物語を紹介しましょう。人間関係で注意しなければならないことを教えてくれるからです。ある女性が子供達を連れて、夫の元を去りました。この男性は荒れ、妻を非難し、妻のした決断を認めませんでした。彼はその後も妻と会い、妻の気持ちを変えるためなら、何でもしようと決心しました。彼は妻と家族への愛のためにそうしているのだと思っていたのですが、彼がしたことは愛ではありませんでした。彼は結婚が破綻（はたん）したことについて妻を責めました。自分が正しくて、妻が間違っていると信じたのです。妻がした決断を受け入れることができませんでした。彼が妻への接触をやめなかったため、彼は逮捕され収監されました。

その男性は最終的には、妻の選択の自由を認めなかったことは愛ではなかったことに気付きました。そして結果として自分の自由を失うことになったということにも気付きました。引き寄せの法則は愛の法則であり、それを破ることはできません。もし、あなたがそれに反すれば、あなたは自分自身を破壊することになるのです。

私がこの話を紹介したのは、親密な関係を終わらせることは、ある人々にとってはとても大変だからです。人は他人がしたいと思うことを選択する権利を否定することはできません。それは愛を与えることにはならないからです。人に去られる悲嘆は大変辛（つら）いことですが、他の人の選択と自由は尊重しなければなりません。あなたは人に与えるものを受け取るのです。他の人の選択の自由を否定すると、あなた自身の自由を否定するようなネガ

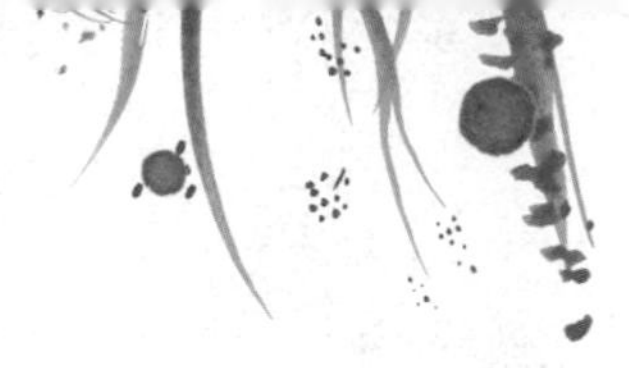

ティブなものを引き寄せてしまいます。収入が減少したり、健康を損なったり、ビジネスが不調になったりするかもしれません。それらはあなたの自由を制限することになるからです。引き寄せの法則に「他の人」はありません。あなたは他の人へ与えるものを、自分自身にも与えているのです。

他の人に愛を与えるということは、その人々にあなたを踏みつけさせ、いいように利用させることでもありません。それもまた愛を与えることではないからです。あなたを利用させることはその人のためにならないし、何よりもあなたのためになりません。愛は厳しく、私達は愛の法則を学び、成長します。その学習の一環として、愛の法則の結果を経験するのです。他の人に利用されたり、踏みつけにされたりするのを許すことは愛ではありません。答えはできるだけ気持ちのよい高い波動に乗ることです。そうすれば愛の力があなたのために状況を解決してくれるのです。

「誰かが私を怒らせようとするとき、私は自分の魂を高く引き上げて、それが届かないようにします」

ルネ・デカルト（一五九六～一六五〇）

数学者・哲学者

人間関係の秘密

人生はあなたが好きなことを選べるように、あらゆることを提示してくれます。そして、人生の贈り物の一つとして、あなたは色々な種類の人々に出会います。そしてあなたは自分が好きな人を選び、好きではない人を避けることができます。愛することのできない人も愛さなければいけない、ということはありません。ただ、さらりと、好き嫌いの感情を持たないで、その人と係(かか)わらないようにすればいいのです。

あなたが好きでない人を避けるとは、そんなことはあまり気にしないということであり、また、人生はあなたに選ぶ権利を与えている、と知っていることです。彼らが間違っていると証明しようとして喧嘩(けんか)したり、批判や非難したりすることではありません。自分の方が正しいと考えて彼らを変えようとすることでもありません。なぜならそれは愛を与えないことだからです。そのとおりなのです！

「いつくしみある者はおのれ自身に益を得、残忍な者はおのれの身をそこなう」

ソロモン王（紀元前一〇世紀頃）
旧約聖書中のイスラエル王　箴言第11章17

あなたが愛の波動にいる時、同じ波動を持つ人々だけがあなたの人生に現れます。

あなたはある時は心から幸福感を味わい、ある時は怒りっぽくなり、また他の時には悲嘆にくれます。あなた自身、様々に変化します。あなたと関係している人も様々に変わります。人はその時々に、喜んだり、怒ったり、悲しんだり、いろいろな面を持っていますが、それでもその人は一人です。あなたが幸せな時、その時に同じように幸せな人だけがあなたに近付けます。でもあなたが幸せにならなければ、幸せな人を呼び寄せることはできないのです。

あなたが他の人の幸せに責任があると言っているのではありません。誰もが自分の人生にも幸せにも責任があるからです。つまり、あなたがしなければならないことは、あなたが幸せに感じることだけであり、後は引き寄せの法則が面倒をみてくれるのです。

「幸、不幸は自分次第です」

アリストテレス（紀元前三八四〜三二二）
ギリシア哲学者・科学者

PETs（感情の個人トレーナー）

対立的な人やむずかしい人との人間関係を和らげるひとつの方法は、彼らはあなたの感情を訓練する「感情の個人トレーナー」だと思うことです！　愛の力はあらゆる種類の「感情の個人トレーナー」を日常出会う普通の人として、あなたの前に送り込みます。彼らはみな、愛を選ぶようにあなたを訓練してくれるのです！

ある人たちは優しい個人トレーナーです。彼らはあなたに無理をさせることはなく、あなたは容易に愛することができます。中には厳しい個人トレーナーもいて、まるで、筋肉トレーナーのようにあなたを極限まで追い込みます。しかし、彼らはあなたがどんなに厳しい状況にあっても愛を選べるように強くしてくれるのです。

感情の個人トレーナーはあなたに挑戦するためにあらゆる状況や作戦を使います。しかし、覚えておいて欲しいのはそれら挑戦は、あなたが愛を選び否定的なものを避け、非難しないことを学ぶためなのです。トレーナーの中にはあなたが非難するように仕向ける人もいます。しかし、その落とし穴にはまらないで下さい。非難することは否定的なことであり、愛を与えることではありません。ですから、もし、あなたが他の人や何かを愛せない時は、ただ、それらを避けるようにして下さい。

トレーナーの中にはあなたをテストし、復讐(ふくしゅう)、怒り、憎しみを感じさせるように挑発する者もいるでしょう。そういう場合はその人を避け、人生で愛せるものを探しましょう。また、中には罪の意識や無価値観や恐れをもって、あなたを襲う人たちもいるでしょう、そんなものにはまらないようにしましょう。否定的なものはいずれも愛ではないからです。

「憎しみは人生を麻痺(まひ)させ、愛はそれを解き放つ。
憎しみは人生を混乱させ、愛は調和をもたらす。
憎しみは人生を暗くし、愛はそれに光を注ぐ」

マーチン・ルーサー・キング・ジュニア（一九二九〜一九六八）
バプティスト派牧師・市民運動指導者

人生で出会う人々を自分の個人トレーナーだと見なせば、どんな難しい人間関係においても、それはあなたの役に立つでしょう。厳しいトレーナーはあなたを強くし、どんな場合にも愛を選ばせるように訓練します。それと同時に、彼らはメッセージを送っています。あなたが否定的な波動にいることを知らせているのです。そして、そこから抜け出すためにもっと気分を良くする必要があると教えているのです！　あなたが否定的な波動を発していない限り、誰もあなたの人生に悪影響を及ぼすことはできません。もし、あなたが愛の波動を出しているならば、誰かがどれだけ厳しくて否定的であっても大丈夫です。その人達はあなたに悪影響を及ぼすことはできません。

ちょうどあなたが他の人にとって感情の個人トレーナー（ＰＥＴｓ）であるように、誰もが自分の役割を果たしています。敵などいません。素晴らしい個人トレーナーや、あなたをもっと強くしてくれる厳しい個人トレーナーがいるだけです。

引き寄せの法則は粘着性です

引き寄せの法則には粘着性があります。あなたが他の人の幸運を喜ぶと、その幸運があなたにくっつきます。他の人を褒めるとその人の良い資質をあなたは自分にくっつけます。でも、他の人の欠点を思ったり口にしたりした場合も、あなたはそれを自分にくっつけてしまいます。その欠点を自分の人生に取り込んでしまうのです。

引き寄せの法則はあなたの気持ちに反応します。あなたは自分が与えたものを受け取ります。そのため、仮にあなたがある人や状況や出来事にラベルを貼ると、自分にそれを貼ることになり、それを受け取ります。

これは素晴らしいニュースです。なぜなら、あなたは他人のなかに自分の愛するものを見つけ、心からそれを肯定することによって、自分が欲しいものや愛するものをすべて自分にくっつけることが出来るということだからです！　世界はあなたのカタログのようなものです。自分の愛の力を理解すると、一日中、他の人の中にあなたの愛するものを見つけることが、あなたのフルタイムの仕事となります。そして、これがあなたの人生や生活全体を変える最も容易で、かつ最善の方法なのです。それは葛藤や苦悩を克服します。あなたがなすべきことはただ、他の人の中にあなたが愛すべきものを見つけ、好まないものを避け、それに感情移入をしないことです。何と易しいことでしょうか？

「第一歩を良い考えで始め、第二歩を良い言葉で、そして第三歩目は良い行動で歩いて、私は天国に辿り着いた」

アルダ・ヴィラフ（紀元六世紀頃）
ゾロアスター教の教典

噂話もくっつきます

噂話は無害に見えますが、人生にたくさんの害をもたらします。悪口は愛を与えるものではなく、むしろ否定的なものを発散し、それと全く同じものをあなたにもたらします。噂話は噂をされた人が傷つくのではなく、噂した人達が傷つくのです！

あなたが家族や友人と話していて、誰かがあなたに他の人の悪口を言う時、その人は否定的なものを発しています。同時に、それを聞いているあなたも否定的なものを発していることになります。なぜならば、あなたは感情を持ち、否定的なものを聞くと、すぐに否定的な感情に落ち込むからです。職場の同僚と昼食時に人の悪口を言って噂話をしていると、あなたたちは否定的なものを発します。否定的なことを話したり聞いたりしながら、良い気持ちになることはできないのです！

ですから、他人の問題に余り口を出さないように気をつけましょう。そうでないと、その人の問題を自分にくっつけてしまうからです！　自分の人生にそれを望む場合は別ですが、何の感情も交えずに人の問題から身を避けるようにしましょう。それは単にあなたのためになるだけでなく、人の悪口を言うと自分にもマイナスになることに気付いていない人のためにもなります。

もし自分が人の噂をしていたり、噂話を聞いているのに気付いた時は、その話を中断して「でも、私は……に大変感謝しています」と、噂になっている人を褒める言葉で、その会話をやめるようにしましょう。

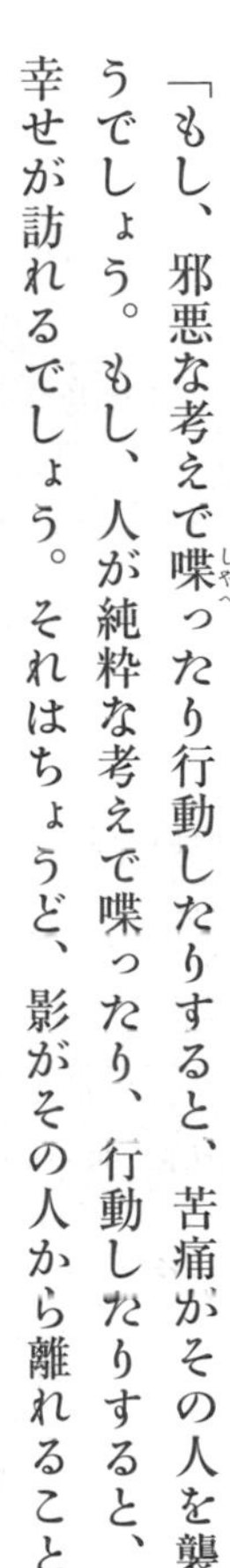

「もし、邪悪な考えで喋(しゃべ)ったり行動したりすると、苦痛がその人を襲うでしょう。もし、人が純粋な考えで喋ったり、行動したりすると、幸せが訪れるでしょう。それはちょうど、影がその人から離れることがないのと同じです」

ゴータマ・仏陀（紀元前五六三～四八三）
仏教の創始者

あなたの反応がそれを選びます

人生はあなたに全ての人や状況を提示しています。その中からあなたは何が好きで何が嫌いか選べるのです。あなたが何かに反応する場合、感情で反応しています。そうすることによって、あなたはそれを選んでいるのです！　あなたの反応はその良し悪しは別にして、あなたにくっついてきます。その結果、あなたはそれをもっと欲しいと、言っているのです。人間関係においては、自分の反応をよく見つめることがとても大切です。なぜならば、あなたが良い感情で反応しようが悪い感情で反応しようが、それはあなたが発している感情であり、それと同じ状況と感情がさらにもっと多く、あなたにもたらされるからです。

誰かの言動に困惑したり、感情を害したりしたら、そのネガティブな反応をすぐに変えるよう最善を尽くしましょう。自分が否定的に反応していることに気づくことだけで、すぐにその感情の力を弱め、時には感情を止めてしまうこともできます。もし、否定的な感情を変えられないと思ったら、その場所を離れ、数分間あなたの気分が良くなるまで、次々と好きなものを探しましょう。気分を回復するために何を使ってもいいのです。大好きな曲を聴く、大好きなものの想像をする、大好きなことをするなどです。あなたを困らせた人の長所を見つけるというのも良い方法です。でもこれは少し難しいかもしれません。しかし、それができれば、気分を持ちなおすための一番の早道です。また、自分の感情をコントロールすることを覚えるための、最も早いやり方でもあります。

「自分を律することができる人は、楽しむことで悲しみを終わらせることができます。私は自分の感情に翻弄（ほんろう）されたくありません。感情を使い、楽しみ、支配したいです」

オスカー・ワイルド（一八五四〜一九〇〇）
作家・詩人

あなたは日々の生活のどの様な悪い状況も変えることができます。しかし、暗い気分で変えることはできません。あなたは状況に対し、別の対応をしなければなりません。ずっと否定的な反応を続けていると、暗い気持ちがもっと強くなり、ネガティブなものを何倍にも増幅してしまうからです。良い気分を発すると前向きなことが増え、何倍にもなります。ある状況がどの様に変わってゆくのかわからなくても、実際それは変わるのです。愛の力が常に道を探してくれるからです。

愛は楯(たて)です

ほかの人々のネガティブなものの力を弱め、それから悪影響を受けないためには、あなたの周りにある感情の磁場を思い出して下さい。そこには愛、喜び、幸せ、感謝、興奮、情熱、その他あらゆる前向きな感情の磁場があります。また、怒り、落胆、挫折(ざせつ)、嫌悪、復讐の念、恐れ、その他のあらゆる否定的な感情の磁場もあります。

怒りの磁場に囲まれた人が良い気分になることは決してありません。ですから、その場に居合わせると、彼らは間違いなくその怒りをあなたに向けるでしょう。あなたを傷つけるわけではありませんが、その人たちは怒りの場から世の中を見ているために、良いものを見ることはできないのです。彼らには自分を怒らせるものしか見えません。従って、往々にして、彼らは最初に出会った人にすぐに怒りを感じ、怒りをぶつけるのです。こんな状況に出くわすことはありませんか？

もしあなたが素晴らしい気分でいると、あなたの磁場の力が楯をつくり、否定的なものが入るのを防ぎます。どんな否定的なものを誰が投げてこようと、それはその楯で跳ね返され、あなたに影響することは全くありません。

一方、誰かが否定的なものをあなたに投げた時にそれを感じてしまうと、あなたは自分の感情が悪化するのが分かります。否定的なものがあなたの感情の場に侵入したからです。そういう時にやることは一つだけです。それはそこから礼儀正しく立ち去る口実を見つけることです。そうすると良い感情を回復できます。二つの否定的な磁場が接触すると、重なりあって急速に増幅し、良いことは何もありません。あなたも自分の経験からこのことを知っているはずです。そんな情景はみられたものではありません！

「泥水もそのままにしておけば澄んでくる」

老子（紀元前六世紀頃）
道教の創始者

悲しみ、落胆、挫折など嫌な気分でいる時、あなたは世の中をそういう感情の磁場から見ており、世の中は悲しみや挫折や落胆そのものに見えてしまいます。悪い感情の磁場からは良いものは何一つ見えません。あなたの感情の磁場はもっと否定的なものを引き寄せるだけでなく、あなたが気分を変えるまで、どんな問題に対してもその解決策は見当たらないでしょう。気分を変えることは、自分を取り巻く状況を変えるために奔走するよりもずっと簡単です。どの様な物質的な行動もその状況を変えることはできません。あなたが気分を変えれば外の状況が変わるのです！

「力は内から湧き出るが、それを与えなければ力を得ることはできません」

チャールズ・ハーネル（一八六六〜一九四九）
ニューソート作家

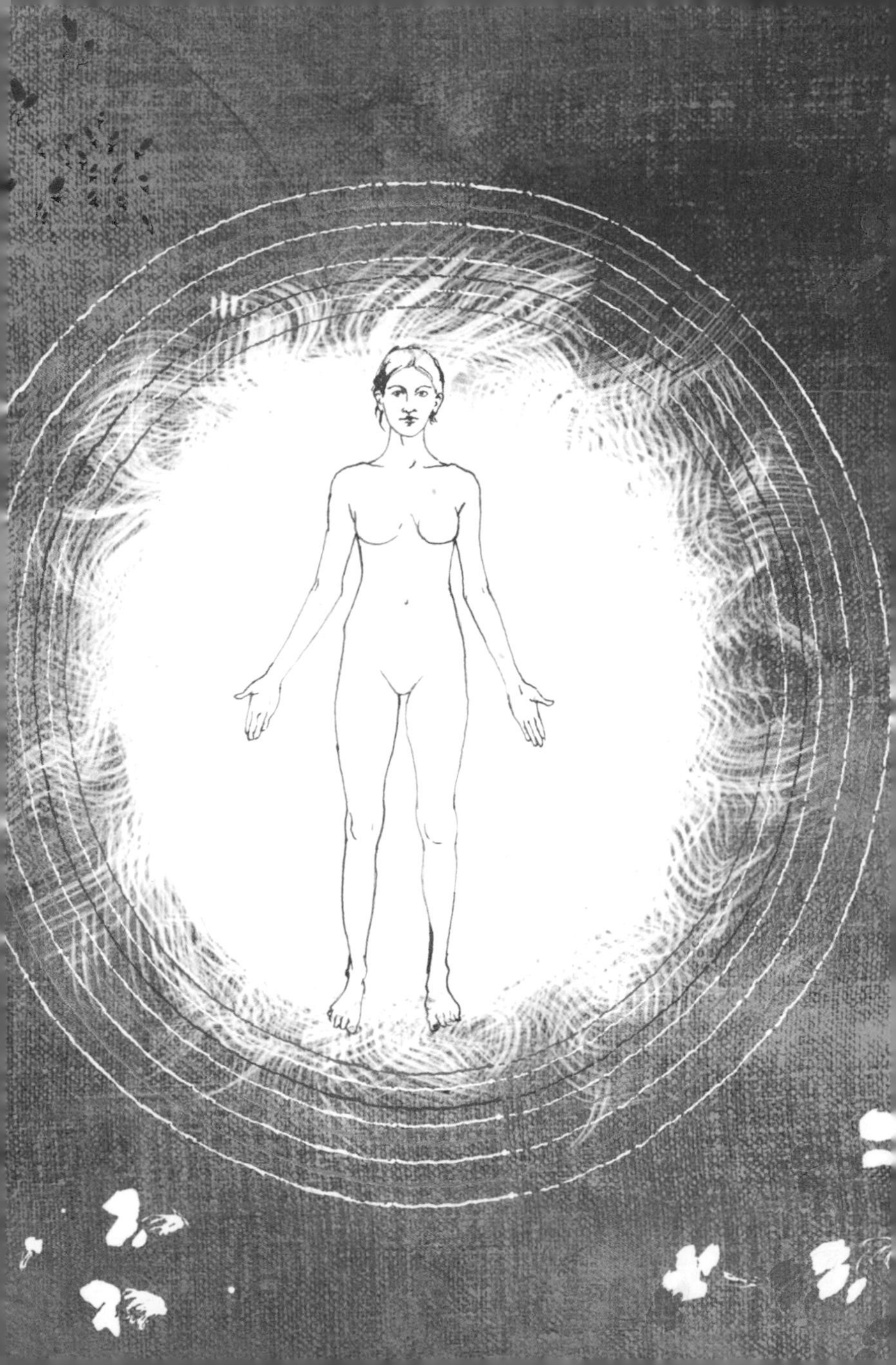

誰かが喜びの磁場に囲まれている時、その喜びが部屋の向こうからでも自分に触れるのを感じる事ができます。人気があり、人々を磁石のように引き寄せる人は、ほとんどいつも上機嫌で生きている人々です。彼らをとり囲んでいる喜びの磁場は大きな磁力があり、すべての人や物を引き付けます。

愛を与え、良い気分になればなる程、あなたの磁場は磁力がより強力になり、より広がって、あなたが好きな人や物を引き寄せます！　そういう状況を想像してみましょう！

愛はあらゆるものを結びつける力です

「世界中の人々がお互いに愛し合う時、強者が弱者を支配したり、多数者が少数者を抑圧したり、金持ちが貧乏人を軽蔑（けいべつ）したり、上位者が下位の者を見下したり、ずるい人が純粋な人をだましたりすることはなくなるでしょう」

墨子（紀元前四七〇頃～三九一頃）
中国の思想家

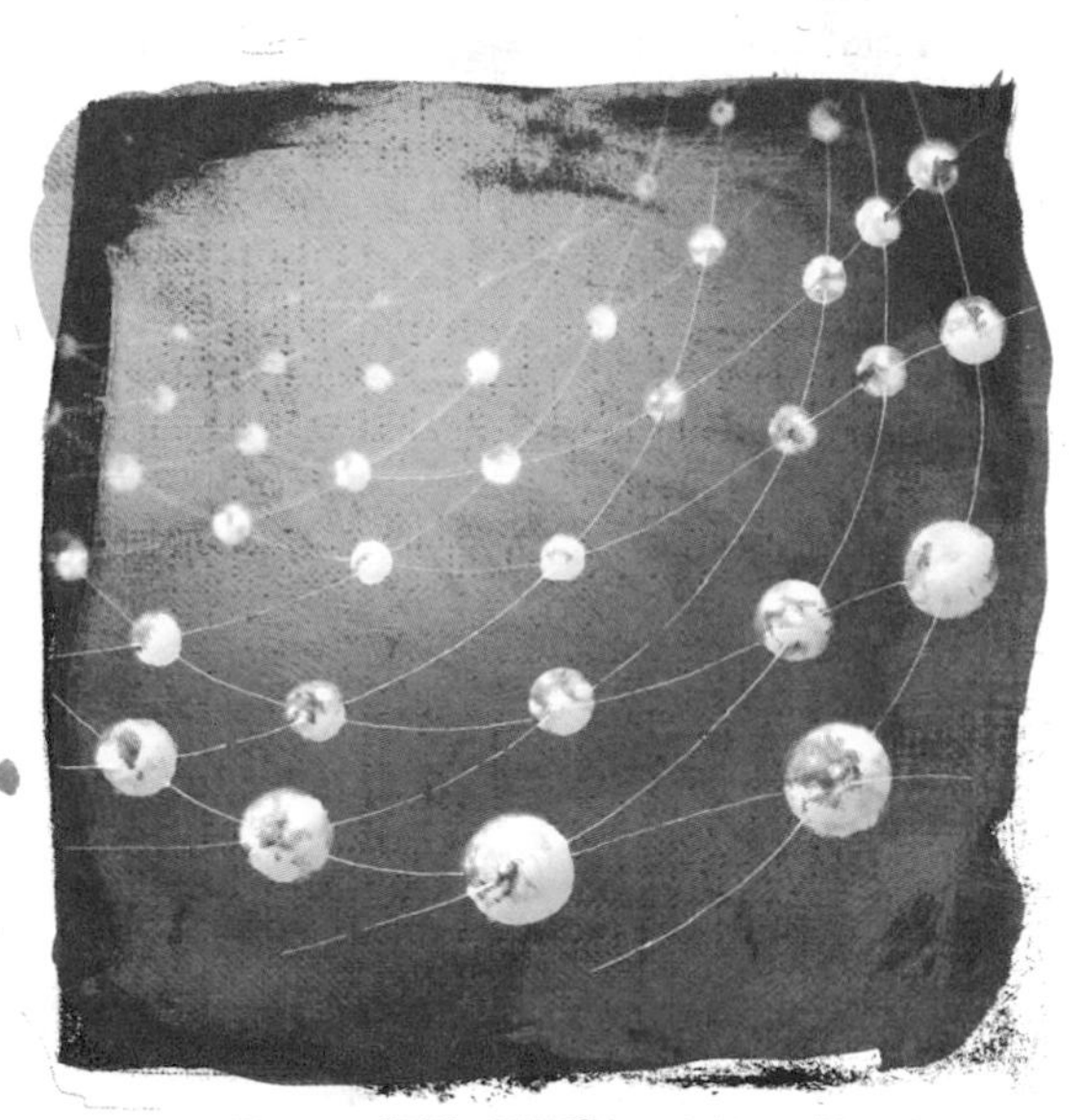

あなたには毎日、気分良くいることによって他の人に愛を与えるチャンスがあります。あなたが幸せな時は必ず、出会った人全員に愛や前向きな感情を与えます。誰かに愛を与えると、愛があなたに戻ってきます。しかも、あなたが考える以上にもっと素晴らしい形で戻ってくるのです。

あなたが誰かに愛を与えた時、その愛がその人に強い影響を与えると、その人は誰か他の人に愛を与えます。こうしてあなたの愛がどれほど多くの人々に影響を与え、またどれほど広範囲に旅したとしても、それらの愛は全てあなたに戻ってきます。あなたが最初の一人に与えた愛だけでなく、その愛に影響された全ての人々からの愛を受け取るのです。そして、その愛は好ましい環境や人々や素晴らしい出来事という新たな装いで、あなたに戻ってくるのです。

他方、他の人に対して否定的な影響を及ぼすと、それがさらに他の人に否定的な影響を及ぼし、否定的なもの全部が自分のところへ返ってきます。金銭事情、仕事、健康、人間関係への悪影響という形で戻ってくるのです。他の人に何を与えようと、あなたはそれを自分自身に与えているのです。

「あなたが外的なことで悩んでいる時、その苦しみの原因はそのこと自体ではなく、あなたがそのことをどう評価しているかなのです。これは、つまり、あなたがいつでも、苦しみから抜け出せることを意味します」

マルクス・アウレリウス（一二一～一八〇）
ローマ皇帝

あなたが夢中になったり、楽しんだり、陽気だったりする時、その良い気分はあなたの周りの全ての人々に良い影響を与えます。店でごく短時間一緒だった人やバスやエレベーターで乗り合わせた人もふくめて、あなたの良い気分はあなたが接する全ての人の人生に違いをもたらします。そして、こうした瞬間は、あなたの人生に計り知れないほど大きな影響を与えるのです。

「小さな親切などというものはありません。全ての行いは計り知れない程の波及効果をもたらすのです」

スコット・アダムス（一九五七〜）
漫画家

愛こそが全ての人間関係を良くする解決法です。後ろ向きなことで人間関係を良くすることは出来ません。関係好転のため「創造のプロセス」を使い、愛を与え、愛を受け取りましょう。「パワーの鍵」を使い人間関係を良くしてください。あなたが好きなものに気がつき、そのリストを作り、そのことについて話し、嫌な事を避けます。申し分ない完璧な人間関係についてイメージしましょう。それも、できるだけ高い水準のものをイメージしましょう。そしてそれが叶ったと心から感じるのです。もし人間関係で良い気分になるのが難しいと感じたならば、何でも良いから、周りのものを愛しなさい。そして、人との付き合いで嫌な事を意識するのをやめましょう！

愛はあなたのために何でもしてくれます。あなたがなすべきことはただ、気分良くすることによって愛を与えるだけです。すると、人間関係にあった否定的なものは徐々に消え去ります。人間関係で困った状況に出会ったときの解決策は常に愛です！　愛がどのように問題解決するかは知ることができません。しかし、ずっと良い気分を保ち、愛を与え続けていれば、それは起こるのです。

老子、仏陀、キリスト、マホメッド、及び、全ての偉人からのメッセージは、極めて明確です。それは愛です！

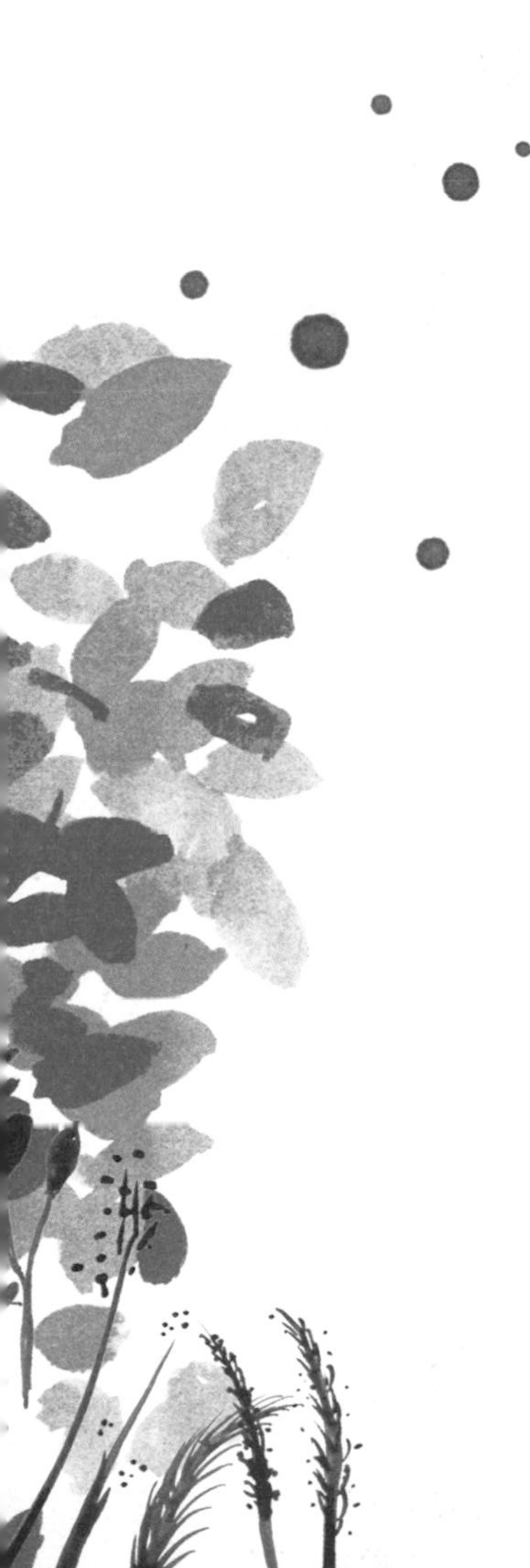

パワーのポイント

- あなたは、出会う一人ひとりに対して愛を与えるか、与えないかのどちらかです。ただ、あなたは与えたものを受け取ります。
- 親切、激励、支援、感謝やその他の良い気持ちを通じて人に愛を与えましょう。するとそれは何倍にもなって、あなたの人生のいろいろな面に戻って来ます。
- 人間関係においては相手のマイナスの面ではなく、あなたにとって好ましいものを探しなさい。すると信じられないようなことがその人に起きたかの様に見えるでしょう。
- 他の人を変えようとしたり、その人に何がベストかを自分は知っていると思ったり、自分が正しく、他の人は間違っていると考えることは、愛を与えることではありません！
- 人を批判したり、非難したり、不平不満を言ったり、人のあらさがしをすることは愛を与えることではありません。
- ほかの人の幸せな面を受け取るためには、あなたが幸せにならなければなりません！
- 愛の力はあなたにあらゆる分野での感情の個人トレーナーを提供します。そのトレーナーはあなたが日々出会う普通の人々の姿で現れます。しかし、彼らは全員、あなたが愛を選ぶように訓練をしてくれるのです！

●あなたは他の人に愛すべき長所を見つけ、それを心から肯定することによって、自分が愛するもの、望むもの全てを自分にくっつけることができます！

●悪いことについて話したり、耳にしたりしながら、良い気持ちでいることはできません！

●人生はあなたにあらゆる人や状況を提供します。あなたはその中から愛するものとそうでないものを選別できます。何かに反応するとき、あなたは感情で反応しています。そうすることであなたはそれと同じものを選んでいるのです！

●悪い気分で否定的状況を変えることはできません。あなたが否定的に反応し続けると、悪い感情がそういう状況を増大し、何倍にもしてしまいます。

●素晴らしい気分になると、あなたの磁場の力が楯を作り、否定的なものは一切入って来られなくなります。

●感じ方を変えるのは、自分を取り巻く外的な状況を変えるために奔走することよりも容易です。気分を変えなさい。すると外の状況も変わるでしょう！

●愛を与え、気分良くすればする程、あなたの磁場はどんどん強くなり、拡大し、あなたが愛するあらゆる人や物を引き寄せます。

ザ・パワーと
健康

「私達の内にある自然治癒力こそ真に病いを治すものである」

ヒポクラテス（紀元前四六〇頃〜三七〇頃）
西洋医学の父

健康であるとはどういうことでしょうか？　それは病気でないことを意味すると思うかもしれませんが、実はそれよりもずっと深い意味があるのです。単に大丈夫だとか、まあ人並みだとか、たいした問題はないと思うというような状態では本当に健康であるとは言えません。

健康であるということは小さな子供が感じているのと同じように感じることなのです。小さな子供は毎日エネルギーを爆発させています。彼らの身体（からだ）は軽く柔軟で難なく動けます。足取りは軽く、意識（マインド）は鮮明で、心配やストレスがなくいつもわくわくしています。毎晩深く穏やかに眠り、目覚めた時は、まるで新しい肉体のように完全にリフレッシュしています。新しい一日に対して情熱的で興奮しています。健康であるとはどういうことなのかは小さい子供を見ればわかるでしょう。あなたも子供の時はそう感じていました。そして、今もその様に感じるべきなのです！

あなたは愛の力を使えば常に無限の健康を手に入れることができます。そして、あなたも常にこのように感じることができるのです！　あなたに何かが与えられない瞬間は一秒たりともありません。あなたが欲しいものは全てあなたのものです。そして、それには無限の健康も含まれているのです。しかし、それを受け取るには、まず、扉を開かなければなりません！

あなたは何を信じますか？

「人は心の中で思っていることが、その人そのものである」

ソロモン王（紀元前一〇世紀頃）
旧約聖書中のイスラエル王　箴言第23章7

この言葉は知恵の言葉として最も偉大な言葉の一つですが、『人は心の中で思っていることが、その人そのものだ』というのはどういうことを意味しているのでしょうか？

あなたが心の中で考えていることは自分が真実だと信じていること、思いこんでいることです。思い込みとは「私は風邪をひきやすい」「私の胃は敏感だ」「私は体重を減らすのは難しい」「私はそれに対してアレルギーだ」「コーヒーを飲むと眠くならない」というように、強い感情をもって繰り返し考えていることです。これらは事実ではなく実は単なるあなたの思い込みや信念です。信念や思い込みとは、あることを心に強く決め、判決を下してから、心の扉の鍵を閉めて、その鍵を投げ捨ててしまい、もはや交渉の余地はないというようなものです。あなたが真実だと思い込み、真実だと感じるものは、それがあなたのためになるかどうかにかかわらず本当に現実として現れます。あなたが持つ信念が何であれ、引き寄せの法則は「それをあなたは受け取らなければいけない」と言ってくるのです。

人は、健康への良い信念よりも病気への恐れをより多く抱きがちです。世界が病気に対してこれだけ注目し、あなたも日々それに囲まれているのですから、それも当然と言えるでしょう。多くの人々が病気をますます恐れるようになっているので、医療の進歩にもかかわらず、病気が増えているのです。

あなたの健康への良い感情は病気への嫌な思いよりも勝っていますか？　生涯ずっと健康でいられると思っていますか、それとも病気は避けられないと思っていますか？　もしあなたが「年齢と共に健康が衰え、病気になることは避けられない」と思っているならば、その信念を放射することになり、引き寄せの法則がそれを身体の状態として、そのままあなたにもたらします。

「わたしの恐れるものが私に臨み、わたしの恐れおののくものが、わが身に及ぶ」

ヨブ記　第3章25

医学のプラシーボ効果が信念の力を証明しています。ある患者のグループは本物の薬と治療を与えられ、もう一つのグループは、砂糖の錠剤と偽物の治療、つまりプラシーボを受けます。しかし、いずれのグループもどちらの治療が本物なのかを知らされません。しかし、プラシーボを受けたグループでも病状が改善したり、症状が弱まったりまたは消えたりする人々がいます。この驚くべきプラシーボ効果は私達の身体に対する信念の力を証明しています。あなたが常に信念や感情によって肉体に与えている物を、あなたは身体で必ず受け取ることになります。

あなたの抱く感情は身体中の細胞や内臓器官に浸み込みます。あなたが良い感情を抱くと愛が放射され驚くべき速度で身体全体が健康になります。逆に悪い感情を抱くと、緊張感が神経や細胞を収縮させ、生命維持に必要な化学物質が変化し、血管が収縮し、呼吸が浅くなり、最終的には内臓器官と身体全体の力が弱まります。長い間、ストレスや心配や恐れなど否定的な気持ちを抱くと身体がリラックスできなくなり、病気になってしまうのです。

「あなたの感情が身体中の細胞に影響を与えます。
心と身体、精神と肉体はお互いに絡み合っています」

トーマス・タッコ（一九三一〜）
スポーツ心理学者・作家

あなたの身体の中の世界

あなたの中には全世界があります！　肉体に対してあなたが持っているパワーに気付く

ためには、まず、その世界について知る必要があります。なぜならば、全てはあなたの支配下にあるからです。

あなたの身体の全ての細胞にはそれぞれに役割があり、あなたの生命を支えるという唯一の目的のために共に働いています。ある細胞は、心臓、脳、肝臓、腎臓（じんぞう）、肺といった特定の領域や器官でリーダー的な役割を担い、その領域で働いている全ての細胞を管理し指揮しています。一つの内臓器官のリーダーである細胞は、その器官が完璧（かんぺき）に機能し、調和と秩序を保つためにその器官内の他の細胞を管理し指揮しています。パトロール細胞は肉体の平穏と秩序を維持するために、身体中の六万キロにも及ぶ血管を絶えず旅して監視しています。例えば皮膚に引っ掻（か）き傷などの障害が出るとパトロール細胞はすぐに警報を出し、その部位に適切なサポートチームが駆け付けます。引っ掻き傷の場合、現場にまず到着するのは血液凝固チームで、血液の流れを止める作業をします。その作業が終わると組織と皮膚のチームがやってきてその組織を癒（いや）したり、皮膚をかぶせたり等の修復作業をします。

体内にバクテリアとかウィルスなどの侵入者が入った場合、メモリー細胞がその侵入者のスナップ写真を撮ります。そしてすでに侵入したことのあるものと適合するかどうか過去の記録を調べます。それと同じものを見つけると、メモリー細胞は適合した攻撃チームに知らせ、その侵入者を破壊します。侵入者と同じ記録が無い場合は、メモリー細胞は新しいファイルを開き、全ての攻撃チームが招集されて、その侵入者を破壊するのです。そのうち侵入者の破壊に成功した攻撃チームがメモリー細胞のファイルに記録されます。すると同じ侵入者が再び入ってきた場合に、メモリー細胞は自分がどの侵入者に対処しているか、どの様に対処すればよいか、すぐに分かるのです。

何かの理由で身体の細胞が異なる行動をとり、身体の維持のために働かなくなった時は、その細胞を修復するためにパトロール細胞が救済チームに連絡します。その細胞が修理のために何か特定の化学物質を必要とする時は、あなたの「自然薬局」の出番です。製薬会社が製造している全ての薬を製造できる完璧な薬局が、あなたの中にあるのです。

全ての細胞はその一生を通じて、一週間に七日、一日二十四時間、チームとして働きます。そして唯一の目的はあなたの身体の健康と生命を維持することです。身体にはおよそ百兆の細胞があります。つまり百兆という細胞がノンストップで働き、あなたに命を与えているのです！　あなたはその百兆の細胞の指揮者で、あなたの思考、感情、信念を通してそれらに命令し指揮しているのです。

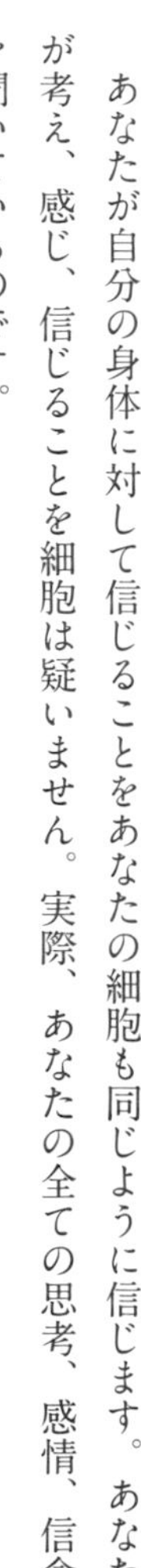

あなたが自分の身体に対して信じることをあなたの細胞も同じように信じます。あなたが考え、感じ、信じることを細胞は疑いません。実際、あなたの全ての思考、感情、信念を聞いているのです。

あなたが「旅行するといつも時差ぼけになる」と考えたり言ったりすると、あなたの細胞はその「時差ぼけ」を命令として受け止めてしまい、その指令に従わなければなりません。太り過ぎだと思ったり感じたりすると、あなたの細胞は太り過ぎを指令として受け止めます。そしてあなたの指令に従い、あなたの身体をいつも太り過ぎの状態に保ちます。病気になるかもしれないと心配すると細胞はそのメッセージを受け取り、その病気の症状をつくるため忙しく働き始めます。あなたの細胞が全ての指令に対して反応するのは、あなたの身体の中で引き寄せの法則が働いているだけなのです。

「全ての内臓器官が完璧だとイメージをして下さい。
すると病気が影を落とすことはないでしょう」

ロバート・コリエー（一八八五〜一九五〇）
ニューソート作家

あなたが欲しいものは何ですか？　何を愛しますか？　それがあなたが身体に与えるべきものなのです。細胞は何も疑わずにあなたに忠実に付き従う家来ですから、あなたの考えることや感じることが何であれ、あなたの身体の法則となります。子供の頃のように素晴らしく感じたければ、細胞にそのような命令をして下さい。「今日は最高に気持ちが良い」「私はエネルギーで一杯だ」「完璧な視力がある」「何を食べても理想的な体重を維持できる」「毎晩赤ちゃんのようにぐっすり眠れる」というようにです。あなたは王国の支配者で、あなたの考えること、感じることが王国の法律になります。つまりあなたの身体の法則になるのです。

心のパワー

「ある意味で人間は小宇宙です。ですから人間を知れば、宇宙を知る手掛かりとなります」

デイヴィッド・ボーム（一九一七～一九九二）
量子物理学者

あなたの肉体の中は、太陽系や宇宙と全く同じ姿をしています。あなたの心臓が太陽で身体の中心です。内臓器官が惑星で、ちょうど惑星がその調和とバランスを維持するため太陽に依存しているように、内臓器官もバランスと調和の維持を心臓に依存しています。

カリフォルニアのハートマス研究所の科学者たちは、私たちが心から感謝したり、愛したり、感激したりすると身体の免疫システムが上がり、生命維持に必要な化学物質の生産が増え、体力や気力が充実し、ストレス・ホルモンのレベル、高血圧、不安、罪悪感、消耗感などが下がり、糖尿病患者のブドウ糖調整も改善することを立証しました。愛情は心臓の鼓動に非常に高い調和をもたらします。また、脳の磁場よりも心臓の磁場の方が五千倍も強く、身体の何フィートも外にまで広がっていることを、この研究所は明らかにしました。

他の科学者たちは水の実験を通して、健康に及ぼす愛の力を解明し、革命的成果を上げています。水と健康はどう関係しているのでしょうか？　人の身体の七〇パーセントは水でできています。あなたの頭の中の八〇パーセントは水です！

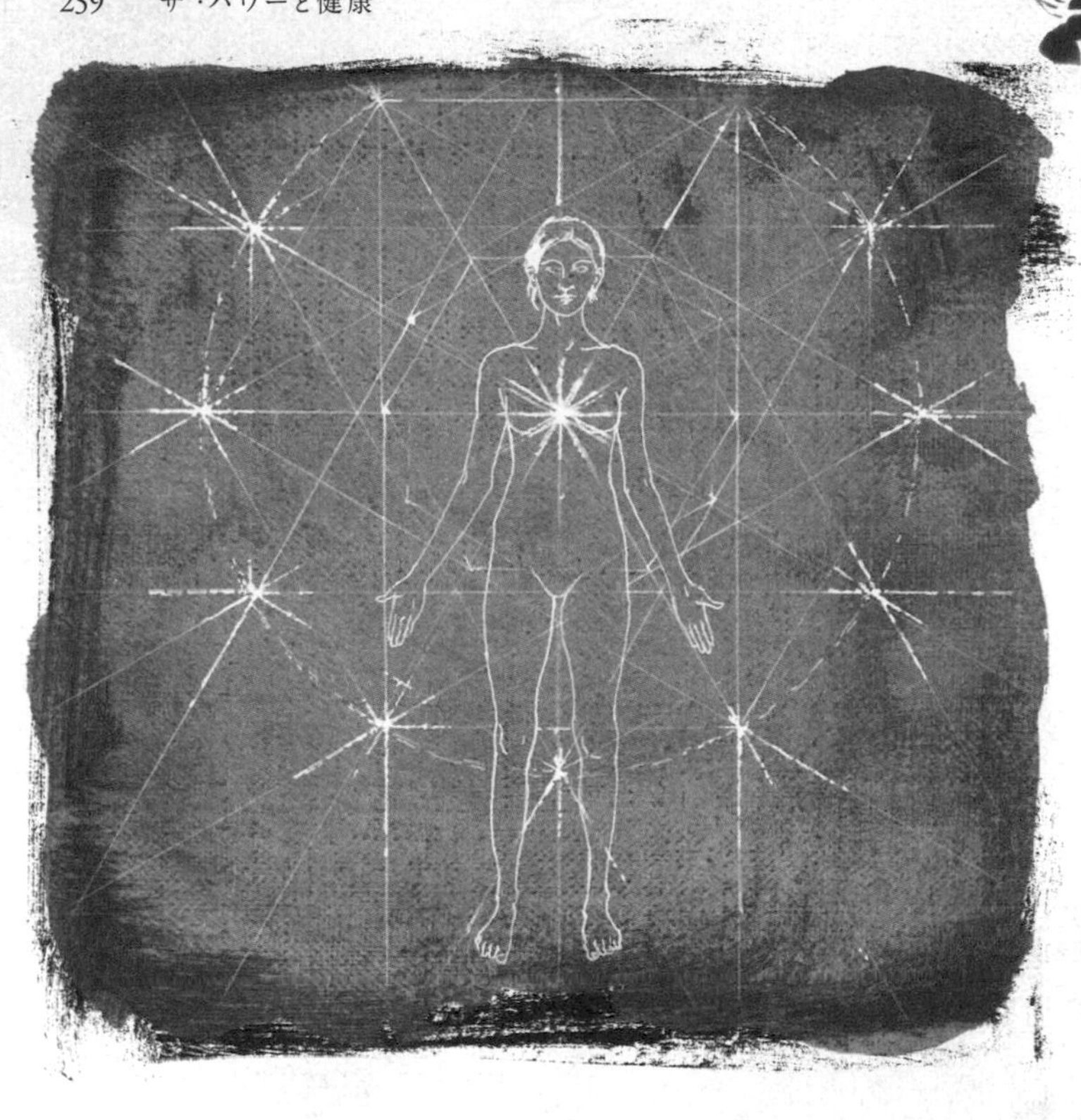

日本、ロシア、ヨーロッパそしてアメリカの研究者たちは、水に対して、愛や感謝といったポジティブな言葉や感情を向けると、水のエネルギーレベルが上昇するだけでなく、水の構造そのものが変わり、完全に調和のとれた物に変化することを発見しました。そのポジティブな感情が高ければ高いほどその水はより美しく調和の取れた水となります。水に憎しみなどのネガティブな感情を送ると、その水のエネルギ

ーレベルは下がり、混乱した変化が起き、水の構造にもネガティブな変化が起こります。

もし人の感情が水の構造さえ変化させることができるのであれば、あなたの気持ちが自分の身体に何をしているのか、想像できますか？　人の細胞はほとんど水から出来ているのです！　細胞の中心は水で、どの細胞も完全に水の層で囲まれているのです。

愛と感謝があなたの身体に及ぼす影響力を想像できますか？　愛と感謝があなたの健康を回復する為にどれほど力を持っているか想像できますか？　あなたが愛を感じると、その愛はあなたの身体の百兆もの細胞の水に影響するのです！

完璧な健康を維持するために愛のパワーをどう使うか

「偉大な愛のあるところに、必ず奇跡が起こります」

ウィラ・キャザー（一八七三〜一九四七）
ピュリッツァー賞受賞者・小説家

自分が望む健康を受け取るためには、まず愛を与えなくてはなりません！　どんな病気にかかっていても、健康に対して良い感情を持ちましょう。愛だけが完璧な健康をもたらすからです。病気にたいして悪感情を持っていては、健康になることはできません。もし病気を嫌って恐れていると、悪い感情を送り出します。そして悪い感情によって、病気を退散させることはできません。自分が望むことを考え、感じていると、あなたの細胞は完全な力を得て健康になります。嫌なことへの否定的な考えや気持ちを抱くと細胞が健康になる力は下がります！　しかも健康とは全く関係がないような事でも、それについて否定的な気持ちになると、健康の力が下がるのです。天気でも、新しい家でも、友達でも、昇給でも、どんなことに対してでも愛を感じると、あなたの身体は完全に健康な力を得ます。

感謝は偉大な増幅器です。毎日欠かさず身体に感謝しましょう。世界のお金をどれだけつぎ込んでも健康は買えません。それは人生からの贈り物だからです。ですから、何よりも健康に感謝しましょう！　感謝こそが最高の健康保険なのです！　感謝が健康を保証するからです。

自分の身体の悪いところを探すのではなく、ただ身体に感謝しましょう。身体について何か嫌いなことを考える度に、体内にある水があなたの気持ちを受け取っていることを思

い出してください。そして身体で好きなところに心から「ありがとう」と言って、嫌いな部分は無視しましょう。

「愛は愛を引き寄せます」

アビラの聖テレサ（一五一五〜一五八二）
修道女・神秘主義者・作家

何かを食べたり、飲んだりする前に、食べ物や飲み物を良く見て、それらに対して愛情を感じ感謝しましょう。食事の時の会話は前向きで、楽しいものにしましょう。

食物を祝福することはそれを愛し感謝することです。食物を祝福するとその料理の水分の構造が変わり、あなたの身体への影響も変わります。飲む水を愛と感謝で祝福すると同じ事が起きます。愛のポジティブな感情はすべての水の構造を変えます。ですから、その力を活用しましょう。

何か治療を受けている時も、愛と感謝を与えてそのパワーを使う事ができます。健康であることを想像できれば、健康であることを感じることができ、それを感じることができ

ればよいだけです。

れば、健康になれるのです。健康になるためには、日常生活の半分以上の時間、愛を与えれば良いだけです。ちょうど五一パーセントが病気と健康の分岐点なのです。

視力検査や血圧検査、定期検診など、健康に関する検査を受ける間やその結果を受け取る時は、良い気分でいることが、良い結果を得るためにはとても大切です。引き寄せの法則によって、あなたが受け取る検査結果はその時のあなたの周波数と同調します。そのために、良い結果を得るには、良い周波数を出していなければなりません！　人生でその逆はあり得ません。あなたの日常生活で起きている状況は、全てあなたの周波数に同調しているのです。それが引き寄せの法則だからです！　検査に対して良い感情の周波数を放射するには、自分が望む検査結果を想像し、その検査結果をすでに受け取った気持ちになって下さい。どんな結果も起こり得ます。しかし、良い結果を受け取るためには、気持ちの良い周波数を放射していなくてはならないのです。

「可能性と奇跡は同じことを意味しています」

プレンティス・マルフォード（一八三四〜一八九一）
ニューソート作家

丈夫な健康体になったところを想像し感じて下さい。視力を回復したいのであれば、完璧な視力への愛を抱き、それを得たところを想像しましょう。完全な聴力に愛を抱き、それを得たところを想像しましょう。理想的な体重、身体、健康、内臓器官などに愛を抱き、それを得たところを想像し、既に今持っている全てのものに対して深く感謝しましょう！　すると、あなたの望む身体に変化していきます。それは愛と感謝の気持ちを活用して初めてできることです。

ある若くて健康な女性が珍しい心臓病と診断され、人生がボロボロになりました。彼女は突然、自分をひ弱でもろく感じました。普通の健康的な生活であるはずの彼女の未来が、その診断によって消えてしまったのです。彼女は幼い二人の娘を残して死ぬことを極度に恐れました。しかし、この女性は心臓を治すためにあらゆることをすると決心しました。

先ず、心臓についてネガティブに考えることを拒否しました。毎日右手を心臓の上に置き、強くて丈夫な心臓をイメージしました。毎朝目覚めると、丈夫で健康な心臓に心から感謝しました。心臓外科医が自分に病気が治ったと告げているところを想像しました。これらを四ヶ月間毎日繰り返しました。四ヶ月後に彼女の心臓の検査をした外科医は言葉が出ませんでした。何度も検査を繰り返し以前の結果と較べてみました。新しい検査結果では、その女性の心臓は完全に健康だったからでした。

この女性は愛の引き寄せの法則に従って生きました。彼女は心臓病という診断を受け入れる代わりに、健康な心臓に愛を注ぎ、その結果として健康な心臓を手にしたのです。病気になった時は、それを言葉に出したり、考えたりしないように最善の努力をして下さい。また、その病気を憎まないようにしなさい。憎むと暗い気持ちになってしまいます。その代わりに健康に愛を感じて、それを自分のものにして下さい。

「病気のことばかり考えないようにできるだけ注意しましょう。強さやパワーを考え、それを自分に引き寄せるのです。健康だと思いなさい、そうすることによって健康が回復します」

プレンティス・マルフォード（一八三四〜一八九一）
ニューソート作家

自分の健康について愛を感じるたびに、愛の力が身体の悪いところを消してくれます！　自分を健康だと思えないならば、何でも良いから何かに愛を感じることが大切です。自分の周りを愛するもので囲み、それによってできる限り良い気分を感じましょう。外の世界のものを使ってできるだけ愛を感じて下さい。笑わせてくれる映画を見て、気持ちを明るくしましょう。緊張し、悲しくなるような映画は見ないようにしましょう。気持ちの良くなる音楽を聞きましょう。冗談を言って笑わせてくれたり、自分の失敗を面白おかしく話してくれる友人と付き合いましょう。あなたは自分が愛するものが何かを知っています。自分が大好きなものが何かも知っています。何が自分を幸せな気分にするかも知っています。それら全てを引き寄せ、できるかぎり良い気持ちになりましょう。「創造のプロセス」を使いましょう。「パワーへの鍵」を使いましょう。そして覚えておいてください。最低五一パーセントの時間、愛を与え、気持ち良くするだけで、分岐点に達し、全てを変えることができるのです！

病気の人を助けたければ、「創造のプロセス」を使い、その人達が健康を回復した姿を思い浮かべ感じてあげましょう。他の人が引き寄せの法則に与えているものを覆すことはできませんが、あなたのパワーはその人達が健康になる周波数まで波動を上げる手助けができるのです。

美は愛からもたらされます

「愛があなたの中で成長すると美しさも成長します。愛は魂の美しさだからです」

ヒッポの聖アウグスティヌス（三五四〜四三〇）
神学者・カトリック司教

全ての美は愛の力に由来します。愛を通して無限の美を手に入れることができます。しかし、問題はほとんどの人が自分の身体に感謝するどころか、あらさがしをしてそこを批判することです。自分の身体の欠点を見つけ不幸せに感じていると、あなたは美しくなりません！　むしろ、もっと欠点が出てきてあなたを不幸にしてしまいます。

美容業界は桁外れに大きいビジネスですが、実は、毎秒無限の美しさがあなたに注がれています。しかしそれを受け取るためには愛を与えなくてはなりません！　より幸せであればより美しくなります。皺が消え、皮膚は引き締まり、輝き始め、髪は豊かになり、目は輝き始め、深くて濃い色になります。何よりも、どこに行っても人々があなたに惹きつ

けられ、自分の美しさが愛から来たという証拠を見ることができます。

あなたの年齢はあなたが感じている年齢と同じです

古代の文献によると、人はかつて何百年も生きたといわれています。ある人は八百年も生きたとか、ある人は五百から六百年生きたとか、とにかく長寿が当たり前でした。では、その後一体何が起きたのでしょう？　人々は信じていたことを変えたのです。何百年も生きることを信じる代わりに、何世代かのうちに寿命はもっと短いと信じるようになったのです。

私達は寿命は短いという信念を受けついでいます。生まれた時から、いつまで生きられるかという信念が心と意識の織物に織り込まれてきました。幼い頃からある年齢までしか生きられないという計画を身体に教え込み、私たちの身体はその計画に従うのです。

「生物学では死が不可避だという証拠は見つかっていません。これは、死は不可避ではないこと、そして科学者が私達の健康を害する物が何かを発見するのは時間の問題だということを意味していると私は思います」

リチャード・ファイマン（一九一八〜一九八八）
ノーベル物理学賞受賞物理学者

できたら自分の寿命に限界をつけないで下さい。必要なことは、たった一人でも寿命の限界を超えることです。そうすれば、その人は全人類の予想寿命を変えるのです。一人でも現在の予想寿命をはるかに超えて生きると、他の人もそれが可能であると信じて自分にもできると思いはじめ、次々と長生きする人々が出てくるでしょう。

あなたが老化や体力低下は避けられないと信じてその気持ちになると、その通りになります。あなたの細胞、内臓器官、身体があなたの信念と気持ちを受け止めるのです。自分は若いと感じ、自分の実年齢を感じないようにしましょう。実年齢を感じることは思い込みにすぎず、あなたが自分の身体に与えた計画なのです。あなたの信じることを変えれば、いつだってその命令を変えることができるのです！

では、信念をどのように変えればよいのでしょうか？　それは愛を与えることで可能です！　限界、老化、病気などの否定的な信念は愛からは出て来ません。愛を与え、気持ち良く感じる時、あなたにとって害となる否定的な信念は愛によって溶けて消えてしまいます。

「ほとばしる愛は、寿命の泉であり、不老不死の霊薬です。愛が不足しているから老化を感じるのです」

ジョサイア・ギルバート・ホランド（一八一九～一八八一）
作家

愛は真実です

幼い頃のあなたは人生についての否定的な信念をまだあまり持たずに、柔軟性があり自由でした。年齢を重ねるごとに、否定的な感情や限界のある考え方を身につけ、生き方が狭くなり、柔軟性を失って行きました。これでは素晴らしい人生にはなりません。それは限界のある人生なのです。

あなたが愛すれば愛する程、愛の力があなたの身体や心にある否定的なものを溶かします。幸せで、感謝し、楽しい時、あなたは愛が全ての否定的なものを溶かしていくのを感じることができます。そう感じることができるのです！　軽やかで何も恐れるものがなく、世界の頂点に立った気分になるはずです。

あなたが愛を与えれば与えるほど、身体に変化が見られるようになります。食事は美味しく感じられ、目にする色は鮮やかになり、耳にする音は鮮明になり、身体のほくろや小さなしみは薄くなり消えていきます。あなたの身体はもっと柔軟になり、こわばりや皺は無くなります。愛を与え、身体に起こる奇跡を体験すると、健康の源が愛であることを疑わなくなります。

奇跡の背後には必ず愛があります

奇跡には全て愛の力が働いています。否定的なものに背を向け、愛するものだけに意識を向けることによって、奇跡は起こります。あなたがこれまでの人生でずっと悲観的だったとしても、遅過ぎることはありません。

悲観的な人間とはまさしく自分のことだと思い込んでいる人がいました。この人は、奥さんから三番目の子を妊娠したと聞いた時、この子がどれだけ自分達の人生に悪影響を及ぼすかということばかりを考えました。しかし、そのような後ろ向きの考えがどのような事態を引き起こすか、思い至りませんでした。

奥さんは妊娠半ばを過ぎた頃、緊急入院をし、出産のために帝王切開をしなければなりませんでした。三人の専門家がそれぞれ、まだ二十三週目の胎児なので生存率はゼロだと言いました。その男性はがっくりと膝(ひざ)をつきました。彼は子供を失うことは全く予期していなかったのです。

帝王切開の後、父親は部屋の隅に連れて行かれ、今までに見たことがないほど小さな赤ちゃんを見ました。その息子は背丈は二五センチ、体重は三五〇グラムしかありませんでした。医療スタッフが赤ちゃんの肺を人工呼吸器で膨らまそうとしましたが、心臓の鼓動はどんどん遅くなっていきました。専門家はお手上げ状態でした。その時、「お願いです！」と父親は心の中で叫びました。すると、まさにその瞬間、その人工呼吸器が息子の肺を膨らませ、脈拍が上昇しました。

数日過ぎても、病院の医者は誰もその赤ちゃんが助かるとは思いませんでした。しかし、それまでの人生でずっと悲観的だったその男性は自分が望むものをイメージし始めました。毎晩寝る前に、彼は息子の上に降り注ぐ愛の光をイメージしたのです。毎朝、目覚めるとその夜、息子が生き延びたことを神様に感謝しました。

すると、日に日に、息子の状態は良くなっていき、少しずつ障害を克服していきました。四ヶ月の集中治療室での過酷な月日が経ち、その夫婦は生き延びる可能性はゼロと言われた赤ちゃんを、自宅に連れて帰ることができたのでした。

全ての奇跡の背景には愛があります。

パワーのポイント

●あなたの身体はあなたが与える信念や思い込み、強い感情をそのまま受け取ります。あなたの全ての気持ちが身体中の細胞と内臓器官に浸み込むのです。

●あなたは自分の王国の支配者です。そして、身体の細胞は疑うことなくあなたに従う忠実な家来です。ですからあなたが考え感じることがその王国、つまりあなたの身体の法律になります。

●欲しくないもののネガティブな考えや感情を放射すると細胞の力が弱まります！ お天気でも、新しい家でも、友人や昇給など何でも、何かに愛を感じれば、身体は健康で完全な力を受け取ります。

●感謝は偉大な増幅器です。毎日自分の健康に感謝しましょう。

●自分の身体の好きな部分に対して心から感謝を述べ、嫌いな部分は無視しましょう。

●健康を回復するためには、あなたの時間の半分以上を使って、健康に愛を与えなさい。時間の五一パーセントがちょうど病気から健康への分岐点となります。

●もし、今、病気だったら、それを口に出したり考えたりしないよう最善の努力をしましょう。その代わりに、健康に愛を送り、健康だと思い、それを自分の物にしましょう。

- 完璧な体重、身体、健康、内臓器官を愛し、そうである状態をイメージしましょう。そして、今自分がもっているあらゆるものに心から感謝しましょう。
- 年齢とともに自分の身体は老化してゆくと信じると、あなたはその信念を放射し、引き寄せの法則がその状況をあなたにもたらします。
- 若い気持ちになり、実年齢を感じないようにしましょう。
- 愛と感謝の気持ちを通して、あなたの身体はあなたが望むように変わってゆきます。

ザ・パワーと
あなた

「幸せになるためのパワー、良きもの、そして、人生で必要なものを得るためのパワーは私達一人ひとりの中にあります。そのパワーはそこにあり、無限です」

ロバート・コリエー（一八八五〜一九五〇）
ニューソート作家

全てのものは周波数をもっています。全ての言葉、全ての音、全ての色、全ての樹木、動物、植物、鉱物等全てのものに固有の周波数があります。あらゆるタイプの食糧も液体も周波数をもち、全ての場所、全ての街、全ての国にも周波数があります。大気、火、土、水等の基本要素もみな、周波数を持っています。健康、病気、潤沢な資金、資金の不足、成功も失敗もそれぞれの周波数を持っています。全ての出来事、周囲の状況、環境にも周波数があります。あなたの名前にも周波数があります。しかし、あなたの周波数の正体は実はあなたの気持ちなのです！　どんな事であろうと、あなたの感じている事は全て、それと同じ周波数を持つ物を全てあなたにもたらします。

幸せを感じ、そのまま幸せでいると、幸せな人々や状況や出来事が日々もたらされます。ストレスを感じ、それを感じ続けると、毎日がストレスだらけになります。このようなことは遅刻しそうな時に体験したことがあると思います。慌てるということは否定的な感情です。遅刻することを恐れて慌てると、ますます遅れや障害を引き寄せてしまいます。太陽は必ず輝きますが、それと同じだけ確実なのが、引き寄せの法則があなたの人生にも働いているということです。

毎朝良い気持ちで一日を始めることがいかに大切かわかりますか？　良い気分になるための時間を作らないとその日一日、良い事を引き寄せることができません。一旦否定的なものを引き寄せてしまうと、人は目の前にあるものを信じてしまうために、それを変えるのは大変です。嫌な事が来ないように、まず良い気分になるための時間をとることの方がずっと簡単です。人は気持ちを変えることによって、日々の生活を変えることが出来ます。しかし、変えなくてはならないような悪い状況を引き寄せる前に、良い気分になってより沢山の素晴らしいものを引き寄せた方が賢いと思いませんか？

自分の人生の映画を見てみましょう

人生は魔法のようなものです！　自分の人生で起きる事はどんなファンタジー映画よりも魔法がかっています。ですから、映画を見る時と同じ集中力で見てください。映画を見ている時、うたた寝や電話で中断してしまうと、その部分を見逃してしまいます。毎日上映され続けているあなたの人生の映画も同じで、注意していないと、絶えずあなたに話しかけ、導いてくれているメッセージや共時性を見落としてしまいます。

人生はあなたに呼応しています。そしてまた、人生はあなたと交信しています。理由のない出来事や、偶然はありません。全てのものには固有の周波数があり、人生で何かが起こる時、それはあなたと同じ周波数だから起こったのです。あなたの見るもの、全ての前兆、色、人、物、耳にするものや状況や出来事は、いずれもあなたの周波数と同調しているのです。

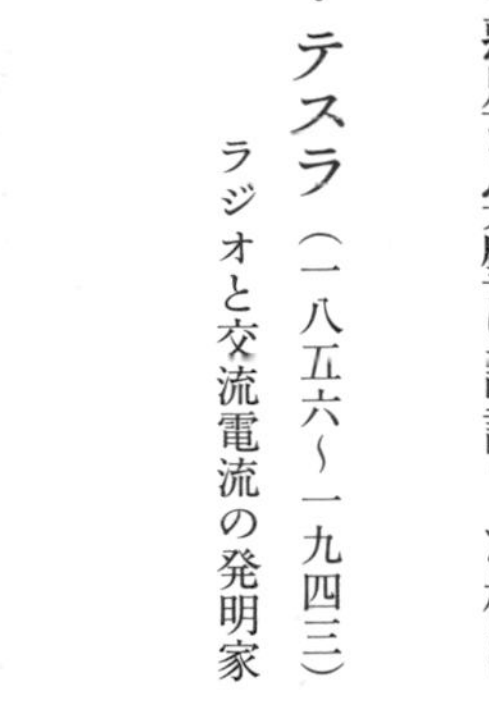

「このように全てがつながっているという驚くべき事実があまりにもすごいので、まるで創造主の神自身がこの惑星を完璧（かんぺき）に設計した様に見えます」

ニコラ・テスラ（一八五六～一九四三）
ラジオと交流電流の発明家

運転している時、パトカーを見ると急に注意深くなりますね。あなたがそのパトカーを見たことには理由があります。恐らく「もっと注意深く運転しなさい！」と教えているのです。あなたがパトカーと遭遇したのは、更にもっと深い意味があるのかもしれません。それを知るためには、まず「これは何を意味しているのだろうか？」と自問してみて下さい。警察は法と秩序を意味します。友人からの電話にまだ返事していないとか、好意に対してまだ十分にお礼をしていないとか、何か礼儀を欠いていることに関するメッセージかもしれません。

救急車のサイレンを聞いた時、それは何を意味しているのでしょうか？　健康に感謝しなさいという意味ですか？　それとも、日々の生活の中で周りの人々の健康に対して愛と感謝を与えなさいと言っているのでしょうか？　消防車がサイレンを鳴らしながら、急に横を通り過ぎたら何を意味していますか？　人生のどこかで火事が起きているので、消火する必要があると言っているのでしょうか？　それとも、もっと愛を燃え上がらせなさいと言っているのでしょうか？　人生であなたに起きたことの意味はあなたにしか分かりません。しかし、日常生活で周りに起こってくる出来事に注意深くならないと、あなたに対するメッセージの意味を受け取ることはできません。

あなたは絶え間なくメッセージや反応を受け取っています。しかも、こうしたメッセージを生まれてからずっと受け取っていたのです！　何かを耳にした時には、たとえそれが私の隣に立っている見知らぬ人達の会話の中の言葉であっても、それらの言葉は必ず私の人生に意味を持っています。その言葉は私へのメッセージであり、私に関係のある言葉であり、私の人生にフィードバック（返事）を与えている言葉なのです。旅行をしているときに、何かの看板に気付いてそこにある言葉を読んだとしたら、その言葉も私にとって何かの意味があり、私へのメッセージであり、私に関係があるのです。なぜなら、私もそれと同じ周波数を持っているからです。もし、私が違う周波数を持っている場合は、そのサインには気がつかないでしょう。また会話も耳に入ってこないはずです。

私を取り囲むすべてのものが毎日私に話しかけ、絶え間なくメッセージとフィードバックを与えてくれています。周りの人が以前ほど幸せでなく笑顔も少なくなっているのに気がつけば、自分の感情の周波数も落ちていることが分かります。そして私はすぐに、幸せに感じるようになるまで、愛するものを次々と思い浮かべるのです。

「世界で何かを変えたければ、まず自分が変わらなければなりません」

マハトマ・ガンジー（一八六九〜一九四八）
インドの政治指導者

あなたの秘密のシンボル

愛の力の物的証拠を見せてほしいと求めて、引き寄せの法則と遊ぶことができます。愛するものを一つ想定して、あなたの愛の力のシンボルにしましょう。そのシンボルを見たり聞いたりする度に、愛の力があなたと共にいる事が分かります。私は点滅する光をシンボルにしています。例えば太陽光線が目に当たるとか、太陽の光が何かに反射して私の目に入るとか、何かの光を反射しているものを見るとかすると、それが愛の力であり、いつも自分と共にいてくれることが分かります。私が喜びと愛に溢(あふ)れていると、周りのあらゆるものから光が反射します。私の妹は虹(にじ)をシンボルに使っています。彼女が愛と感謝で溢れている時には、彼女はどこにいてもあらゆる種類の虹の光を自分の周りで目にします。あなたの好きな星、金色、銀色、またはその他の色や動物、鳥、樹木、花などもシンボル

に使えます。言葉でも音でもあなただけの秘密のシンボルにして良いのです。何を選んでも良いのですが、必ずあなたが大好きなものにして下さい。

「もっと注意しなさい」という愛の力からの警告のサインとしてシンボルを選ぶのも良いでしょう。実際、あなたは絶えずメッセージや警告を受けているのです。物を落とす、躓く、衣服をひっかける、何かにぶつかるなど、それらは全て「今の気持ちや考えを変えなさい」という警告やメッセージなのです！　人生には間違いも偶然もありません。全てはシンクロニシティなのです。全てのものには周波数があり、互いに共鳴しているからです。それが人生の物理学であり、宇宙の働きなのです。

「太陽系を見ると、地球は太陽から適量の熱と光を受けるための適切な距離にあるのが分かります。これは偶然に起こったことではありません」

アイザック・ニュートン（一六四三〜一七二七）
数学者・物理学者

人生は奇跡です

愛と私は一緒に仕事をしています。これは誰にとっても最も素晴らしくてわくわくする関係です。私がこの知識を使って毎日どの様に生活しているかをお話ししたいと思います。

毎朝目が覚めると、私は生きていることと、私の人生で出会った人々や出来事の全てに感謝します。毎朝十五分かけて愛を感じ、愛を世界に送ります。

次にその日一日を想像します。私は、その日が素晴らしいものとなるようにイメージし愛を感じます。その日の事柄を想像し、それぞれがうまくゆくように愛を感じます。何かをする前には、私はそれに前もって愛をたっぷり与えます。自分の内側でできる限り多くの愛を感じるのです。気分が良くなってからでないと、Eメールや小包を開く、重要な電話に出る、あるいは大事なことをするといったことをしません。

朝着替えをする時は、自分の洋服に感謝します。時間を節約するため、「今日の私に一番似合う洋服はどれでしょうか?」と自問します。数年前に引き寄せの法則と洋服ダンスで遊んでみることにしました。あるトップとスカートが合うかどうかを試す際、あれこれ着たり脱いだりするのではなく、(脱ぐとますます似合わない物を引き寄せるので)組み合わせを愛の力に任せることにしたのです。私が自分が着たものが最高に似合っていたらどう感じるだろうかと想像しました。想像してそれを感じてから、「今日は何を着るべきでしょうか?」と自問します。着てみると、その洋服はピッタリ似合っていて、うっとりするほど良い気分になるのです。

街並みを歩く時も、私は注意して通りがかりの人々を見ます。そして、出来るだけ多くの人に愛を送ります。一人ひとりの顔を見て、心の中に愛を感じ、その人達が愛情を受け取っている姿を想像します。皆が愛するもの、つまり、たくさんのお金や幸せな人間関係、丈夫な身体などの源が愛の力だと知っているので、私は人々に愛を送るのです。そうすることによって、その人達が必要としているものを私が送っているのを知っているからです。

ある人が特別のニーズを持っているのが分かった時、たとえば、欲しいものを買う余裕がない人には、お金が潤沢にあるという思考をその人たちに送ってあげます。イライラしている人には幸せの思考を送ります。ストレスを感じ慌てている人には平静と喜びの思考を送ります。私が日常品の買い物をしている時、街中を歩いている時、運転している時など、人々の中にいる時は、出来るだけ多くの愛を送るようにしています。何か特別なニーズがある人を見た時は、「自分の生活の豊かさや幸せ、平和や喜びに感謝しなさい」という私自身へのメッセージだと受けとめています。

飛行機に乗っている時も、全員に愛を送ります。レストランにいる時は、人々だけでなく食べ物にも愛を送ります。組織や会社と仕事をする時や店で買い物をしている時も、全員に愛を送ります。

自動車を運転する時には、自宅に安全で幸せな気持ちで戻って来た姿を想像します。そしてそれに「ありがとう」と言います。運転する時は「どれが一番良い道順でしょうか」と自問します。自宅に出入りする時も、自宅に「ありがとう」と言います。スーパーで買い物をする時も、「何か他に必要な物は？」とか「全て買いそろえたかしら？」と自問します。すると私はいつも答えを受け取ります。

「もちろん、知識は錠で、それを開ける鍵（かぎ）が質問です」

ジャファー・アル・サディク（七〇二～七六五）
イスラム教の霊的指導者

私は毎日自問しますが、その数が何百になる場合もあります。「今日の調子はどうだろうか?」「この状況ではどうするべきだろうか?」「最高の決断は何だろう?」「この問題の解決法は何だろうか?」「今取れる最高の選択肢は何だろうか?」「この人や会社は正しいのだろうか?」「どうすればもっと心地良くなるだろうか?」「気分を高めるにはどうしたら良いだろうか?」「今日は何に愛を送るべきだろうか?」「感謝すべきことは何だろうか?」等々です。

質問する時、あなたは質問を「与えて」、その答えを「受け取る」のです! しかし、その質問に対する答えを受け取るためには注意深くなければなりません。答えは読書中に来るかもしれませんし、何かを聞いている時や夢を見ている時に受け取るかもしれません。時にはそれが答えだとひらめく場合もあるでしょう。しかし、答えは必ず受け取れます。

鍵をどこに置いたか忘れた時、私は「鍵はどこ?」と聞きます。すると必ず答えを受け取ります。しかしもっと続きがあります。鍵を見つけると、「これは私に何を教えているのか」と自問します。つまり、なぜ鍵の置き場所を間違えたのでしょうか? 全ての出来事には理由があるからです! 理由のない出来事も偶然もありません。「もう少しゆっくりしなさい。慌て過ぎていますよ」というのが答えだったりもします。「あなたの財布はかばんにはありませんよ」というのが答えだったりもします。部屋を探すと鍵を見つけたところに財布があったりします。ときにはすぐに答えを得られない場合もあります。しかし、ドアを出ようとすると、電話が鳴って約束がキャンセルされたことが分かります。それで、鍵を置き間違えたことは自分にプラスだったことが分かります。私はこんな人生の仕組みが大好きです。でも、あなたが質問しなければ答えもフィードバックも受け取ることはできません。

時々、人生ではややこしいことが起きますが、それも自分が引き寄せたものだと私は知っています。そうした問題をなぜ引き寄せたのかを自問してそこから学び、それが二度と起きないようにします。

私は受け取ったものへのお返しに、できるだけ多くの愛を世界中に送ります。全てのものごとや全ての人の中に良いものを見るようにします。全てのものに感謝します。愛を送ると、愛の力が自分の中を通るのがわかり、息もできない程の愛と歓び(よろこ)でいっぱいになります。受け取ったもの全てへ愛を送ろうとするだけで、愛の力はその愛を増幅してもっと多くの愛をあなたに届けます！　生涯で一度でもこれを体験できれば、もはやあなたが元に戻ることはありません。

愛はあなたに何でもしてくれます

人生のどんなことにも愛の力を使って助けてもらうことができます。覚えておく必要のあることを愛の力にゆだね、最適な時にそれを思い出させてくれるようにお願いすることもできます。愛の力に目覚まし時計の代わりになってもらい、起床時間に起こしてもらうこともできます。愛の力はあなたの個人的なアシスタント、金銭管理人、ヘルス・トレーナー、人間関係のカウンセラーとなり、あなたの金銭や体重や食事や人

間関係を管理してくれます。しかし、愛の力がそうした役目を果たしてくれるのは、あなたがその力と深い愛と感謝で結ばれた時だけです！　あなたが愛と通じあって愛の力と結び付く時、そして自分の力で必死に全てを管理しようとするのをやめた時、愛の力があなたのためにこうした仕事をしてくれるのです。

「あなたの信仰が深まるにつれ、もはや、支配しようとする気持ちを持つ必要はないことがわかります。物事は自然にあるべきように流れ始め、あなたがその流れに乗れば、歓びと利益が自然にもたらされるのです」

ウィンゲイト・ペイン（一九一五〜一九八七）
作家・写真家

人生の最も偉大な力と手を組みましょう。愛の力にしてほしい事があれば、絶対的な愛と感謝の気持ちを抱き、それを手に入れたところをイメージし感じれば、それを受け取ることが出来ます。

想像力を使って愛の力があなたに出来ること全てをイメージしてみて下さい。愛の力はまさに人間と宇宙の知性です。花や人間の細胞のひとつを創造できる知性の偉大さに思いをはせることが出来れば、あなたがどういう状況にいようと、答えが返ってこない質問など一つもない事が分かるでしょう。愛はあなたに何でもしてくれます。しかしまず愛の力と結びつき、愛を通して、人生における愛の力に気付かなければなりません。

些細なことにどんな違いがあるというのでしょうか？

「混乱の中に単純性を見いだしなさい。不協和の中に調和を見つけなさい。困難の中にチャンスがあります」

アルベルト・アインシュタイン（一八七九〜一九五五）
ノーベル物理学賞受賞物理学者

意識があまりにも小さな細部にとらわれ過ぎると、それがあなたの集中力を低下させ、気を滅入らせてしまいます。もしそれほど意味のないような些細なことを気にしていたら、良い気分になることに集中できません。閉店間際のクリーニング店に間に合ったとしても、どれだけの違いがあるというのでしょうか？　自分のスポーツチームが今週負けたからといって、あなたの人生にどれだけ影響しますか？　いつだって次の週があるではありませんか。バスに乗り遅れたとしてもどうかしますか？　八百屋でオレンジが売り切れていたからといって、それが何だというのでしょう？　数分間、列に並ばなければならないとしても、どうということはありません。全体の大きな計画の中で、そのような些細なことがどれだけの違いをもたらすというのでしょうか？

些細なことはあなたの気を散らし、あなたの人生を妨害することもあります。不必要な細かい事を不必要に重視すると気分が悪くなります。人生ではそんなことは何一つとして重要ではありません！　人生を単純にしましょう。良い気分を保つためにそうしましょう。些細なことを取り除くと、あなたが人生で欲しいと思っている他のものが全て入ってくる余裕ができるからです。

人生に意味を与えているのはあなたです

あなたは人生の全てのものに意味を与えます。善悪のラベルを貼ってやってくる状況などはありません。全ては中立です。虹や雷に良い悪いはありません。ただ虹であり雷であ

るだけです。虹をどう感じるかによって、あなたは虹に意味を与えます。雷をどう感じるかによって、あなたは雷に意味を与えます。全てのものはあなたがどう感じるかで意味が出てくるのです。仕事には良いも悪いもありません。仕事であるだけです。でもそれに対するあなたの気持ち次第で、その仕事はあなたにとって良くも悪くもなります。人間関係もそれ自体では良い悪いはなく、人間関係にすぎません。しかし、あなたがその関係にどういう気持ちを抱くかによって、良くも悪くもなるのです。

「何事も良いも悪いもありません。考え方次第です」
ウィリアム・シェークスピア（一五六四～一六一六）
英国の劇作家

誰かが他の人を傷付けると、引き寄せの法則は確実に反応します。引き寄せの法則は警察を使ったり、法律その他の手段を使ったりして、同じだけのものをその人に返します。引き寄せの法則には一つだけ確実なことがあります。それは与えたものは受け取るということです。誰かがある人に傷つけられたという話を聞いたら、傷ついた人に同情して下さい。ただ、誰のことも良いとか悪いとか判断しないで下さい。人を悪いと決めることは、愛を与えることにはなりません。他の人を悪いと考えると、実は悪いというラベルを自分にも貼りつけることになるのです。あなたが与えるものがあなたに戻って来ます。誰かに対して悪い感情を抱くと、その人が何をしたかにかかわりなく、その悪い感情はあなたに返って来ます！　しかも、同じだけの力で戻って来て、あなたの人生にネガティブな状況を作り出します。愛の力に言い訳はきかないのです！

「全ての命に対して愛を与える人の人生は充実して豊かで、美しさと力強さがどんどん膨らんでいきます」

ラルフ・ワルド・クライン（一八六六〜一九五八）
ニューソート作家

愛は世界へのパワーです

愛の力に対抗するものはありません。人生には愛以外の力はありません。否定的な力などはありません。その昔、否定的なものは「悪魔」、「悪霊」などと表現されました。悪魔や悪霊に誘惑されるということは、愛のポジティブな力でしっかりと立たずに、否定的な感情や思考にとらわれることを意味します。否定的な力などはありません。たった一つの力があるだけです。そしてそれは愛です。

世界で見られる否定的なものごとは愛の欠如の表れに過ぎません。人や場所、状況や出来事などどこに否定的な面があろうと、それは愛の欠如が原因です。悲しみの力というものもありません。悲しみは幸せの欠如です。幸せは全て愛から来ます。失敗の力というものもありません。それは成功の欠如であり、全ての成功は愛から来ます。病気の力もありません。病気は健康の欠如です。そして全ての健康は愛から来るのです。貧困の力もありません。貧困は豊かさの欠如です。そして全ての豊かさは愛から来ます。愛は人生のポジティブな力であり、全てのネガティブな状況はいつも愛の欠如から生まれるのです。

人々が否定的な感情よりも愛情をより多く放出する分岐点に達すると、この地球から急速に否定的なものが消えて行くでしょう。想像してみて下さい！　愛を与える全ての瞬間に、その愛は世界をポジティブな方向へ向けるのに貢献しているのです。ある人々は人類が今その分岐点に到達しようとしていると信じています。その人々が正しいかどうかは別にして、今こそ愛とポジティブな感情を全ての物や人に与える時なのです。あなた自身の人生のためにそうして下さい。あなたの国のために、そして、世界のためにそうして下さい。

「心が正しければ、個人生活は豊かになろう。個人生活が豊かになれば家庭生活が規律あるものになろう。家庭生活が規律あるものになると、国民生活も秩序あるものになろう。国民生活に秩序がもたらされると世界が平和になろう」

孔子（紀元前五五一～四七九）
中国の思想家

あなたはこの世界で大きな力を持っています。なぜなら、あなたはとても沢山の愛を与えることが出来るからです。

パワーのポイント

- 全てのものに周波数があります。全てにあるのです！　あなたの気持ちがそれと同じ周波数のものを人生に引き寄せています。
- 人生はあなたに反応しています。人生はあなたと交信しています。あなたが見るもの、記号、色、人、物の全て、そしてあなたが聞くものや全ての状況や出来事は、あなたと同じ周波数を有しています。
- あなたが幸せを感じ続けていると、幸せな人や状況や出来事だけが人生にもたらされます。
- 人生には理由のないことや偶然はありません。全てのものは固有の周波数を持ち、全ては互いに関連しあっているからです。それは単に人生の物理学であり、宇宙の働きなのです。

●あなたの愛するものや思い、それを愛の力のシンボルにしましょう。そのシンボルをどこかで見たり聞いたりした時、愛の力があなたと共にいることを確信して下さい。

●あなたが何を行うにしても、それを始める前に愛の力をそれに注いで下さい。一日の出来事が全てうまくいくところをイメージし、行動する前に必ず自分の中でできる限りたくさんの愛を感じて下さい。

●毎日質問しましょう。あなたが質問する時は、質問を「与えて」いるので、必ずその答えを「受け取り」ます。

●人生で何かする場合には、必ず愛の力に助けてもらいましょう。愛の力はあなたの個人的なアシスタント、金銭管理者、ヘルス・トレーナー、人間関係のカウンセラーとなります。

●あなたが余りにも些細なことにこだわると、その細かいことがあなたの気を散らせ、足を引っ張るでしょう。人生をシンプルにして、細かいことをあまり重要視しないようにしましょう。そんなことをして、どれだけ意味があるのですか?

●愛の力に反対はありません。人生には愛のほかにはパワーはありません。世の中の全てのネガティブなものは、常に愛の力の欠如がもたらしたものです。

ザ・パワーと人生

私達人間は自分が存在しないことを想像できません。自分の肉体が生きていないことは想像できますが、自分が存在しないことは想像できないのです。どうしてなのでしょう？それを自然の気まぐれだと思いますか？　そうではありません。その理由はあなたが存在しないということはあり得ない事だからです！　もしそれを想像できるならば、あなたはそれを創造することができるはずです。しかし、実は、決して創造できません！　あなたはこれまでもずっと存在して来ました。そして、これからもずっと存在し続けます。というのは、私たち人間が創造の一部だからです。

「今日までお前や私や王達など、ここに集いし者が存在しなかったことはない。そして、これからも存在しないことなどあり得ないのだ。子供から思春期、老年を通じ、同じ人が一つの肉体に宿る様に、死後も他の肉体に宿るのだ。賢人達はこうした変化に惑わされる事はない」

バガバット・ギーター（紀元前一世紀頃）
古代ヒンズー教の教典

では人は死ぬとどうなるのでしょうか？　肉体が無になることはありません。なぜなら「無」などというものはないからです。肉体はその構成要素に戻ります。そして、あなたの内なる存在――真のあなた――も無になることはありません。「being（存在）」というまさにその言葉自体が、あなたが常に存在していることを教えています。あなたは人間の肉体の中に一時的に住んでいる永遠の存在なのです。仮にあなたが存在しなくなったとしたら、宇宙に空っぽの空間ができて、全宇宙がその空っぽの空間の中に崩れ落ちてしまうでしょう。

あなたが肉体を離れた人の姿を見ることが出来ない唯一つの理由は、あなたは愛の波動を見ることが出来ないからです。あなたは紫外線の波動も見えません。そして愛の波動は創造の中で最高の波動であり、肉体を離れた人々はその波動の中にいるのです。この世で最も優れた科学装置でさえ、愛の波動を感知することは出来ません。それどころか、それに近づくことさえ出来ません。しかし、人は愛を感じることが出来ます。そのため、亡くなってもう会えなくなった人たちのことを、愛の波動の中に感じることが出来るのです。しかし、あなたが、悲しんだり落胆したりしていては、感じることは出来ません。そのような波動は亡くなった人の持つ波動からは程遠いからです。しかし、愛や感謝など最も高い波動と同調すれば、亡くなった人を感じることが出来るでしょう。亡くなった人はあなたから離れて遠くへは行きません。あなたはその人と離れ離れにはならないのです。あなたは愛の力を通して常に全てのものと結び付いているのです。

天国はあなたの中にある

「天と地の全ての原理はあなたの心の中に生きています」

植芝盛平（一八八三～一九六九）

合気道の創始者

古文書によれば「天国は汝(なんじ)の中にある」と言っています。この言葉が意味しているのは、人の存在が持つ波動のことです。人が肉体から離れる時、自(おの)ずと純粋な愛という最高の波動に達します。それがあなたの本来の波動だからです。古代、この純粋な愛の持つ最高の波動のことを天国と呼びました。

しかし、天国はあなたの肉体が死んでからではなく、この世に生きている時に見つける

べきものです。この地球に生きている間に見つけてください。天国は確かにあなたの内にあります。なぜなら天国はあなたという存在の波動に他ならないからです。地球上で天国を見つけるためには、愛と喜びである本当のあなたと同じ波動の中で人生を生きればよいのです。

人生を愛するために

「本当の問題は、生き続けるかどうかではなく、むしろいかに人生を楽しむかにあるのです」

ロバート・シャーマン（一九四一～）
仏教徒・作家・学者

あなたは永遠の存在です。あなたには全ての事を経験するための時間が十分にあります。あなたは永遠の存在ですから、時間が足りないということはありません！　前途には多くの冒険が待ち受け、経験することが山ほどあります。それもこの世の冒険にとどまりません。この世を卒業すると他の世界でまた新たな冒険が始まるからです。様々な銀河や多次元の別の世界があり、今は想像もできない生活があり、私達はその全てを経験するのです。私達は創造の一部であるが故にそれらを一緒に経験します。次の冒険を求めて創造の世界をのぞく時、今から何十億年もの未来に、様々な世界の中にまた世界があり、銀河の中にまた銀河があり、無限の次元があるでしょう。それらが永遠に私達の目の前に広がっているのです。

　このような事を考えると多分自分が今まで考えていた自分よりも少しは特別な存在だと思えませんか？　そしてまた、考えていた以上に価値のある存在だと思いませんか？　あなたもあなたが知っている全ての人、そして今まで生きた全ての人、その誰もが終わりのない存在なのです！

　人生を両腕に抱きしめて、ありがとうと言いたいと思いませんか？　未来に待っている冒険に胸がときめきませんか？　山の頂きに立って終わることのない永遠の人生に対し、喜びとともに「イエス！」と叫びたくなりませんか？

あなたの人生の目的

「人は理由があって生きている訳ではない。ただ、感謝し、喜ぶことが人生の目的である」

ゴータマ・仏陀（紀元前五六三～四八三）
仏教の創始者

人生の目的は喜びを感じて生きることです。ということであれば、人生の最大の喜びとは何でしょう？　それは「与える」ことです！　もし六年前に誰かが私にそう言ったとしても、「そういうのは勝手ですが、私は日々もがき苦しみ収支を合わせるのがやっとなのに、人に与えるものなんてありません」と答えたことでしょう。

人生の最大の喜びは「与える」ことです。与えなければ人は常に生きるためにもがき苦しむことでしょう。人生には次々と問題が生じます。全てが上手く行くだろうと思った時に、他の事が起きて、あなたは再び苦悩と困難の中へと投げ出されてしまうのです。人生において最大の喜びは「与える」ことです。そして、人が与えることができるのは唯一つ、それは愛です。あなたの愛、喜び、前向きな姿勢、気持ちの高揚、感謝そして情熱、これらは人生の真実であり、永遠に続くものなのです。世界中の富を集めたとしても、愛という創造物の中で最も価値のある贈り物には勝てません！　最も価値のある贈り物とはあなたの中にある愛です！

あなたの最上のものを与えなさい！　それは愛です。愛は人生のあらゆる富を引き寄せます。そしてあなたの人生は想像した以上に豊かになるでしょう。それは愛を与える時、あなたは人生の目的を全て果たしているからです。愛を与える時、あなたはこれ以上受け取ることが出来ないと思うほどの愛と喜びを手にします。しかし、あなたは無限の愛と喜びを受け取ることができます。あなたはもともと、そのような存在だからです。

「いつか人類が風、波、潮流、そして重力を征服した時、私達は神のために愛のエネルギーを利用するでしょう。そして、その時、人類は史上二番目の火を発見したことになるでしょう」

ピエール・テイヤール・ド・シャルダン（一八八一～一九五五）

牧師・哲学者

人は愛と共にこの世に生まれて来ました。そして愛は人が持てる唯一のものです。生きている間、前向きな事を選び、気分を良く過ごす時はいつも、あなたは自分の愛を与え、愛で世の中を照らしています。そしてあなたが欲しい物、夢に見たもの、愛するものの全てが、あなたにもたらされることでしょう。

あなたはあなたの中にこの宇宙で最も偉大な力を持っています。そしてその力によって、素晴らしい人生を送ることでしょう！

そのパワー（The Power）はあなたの中にあります。

すべてのはじまり

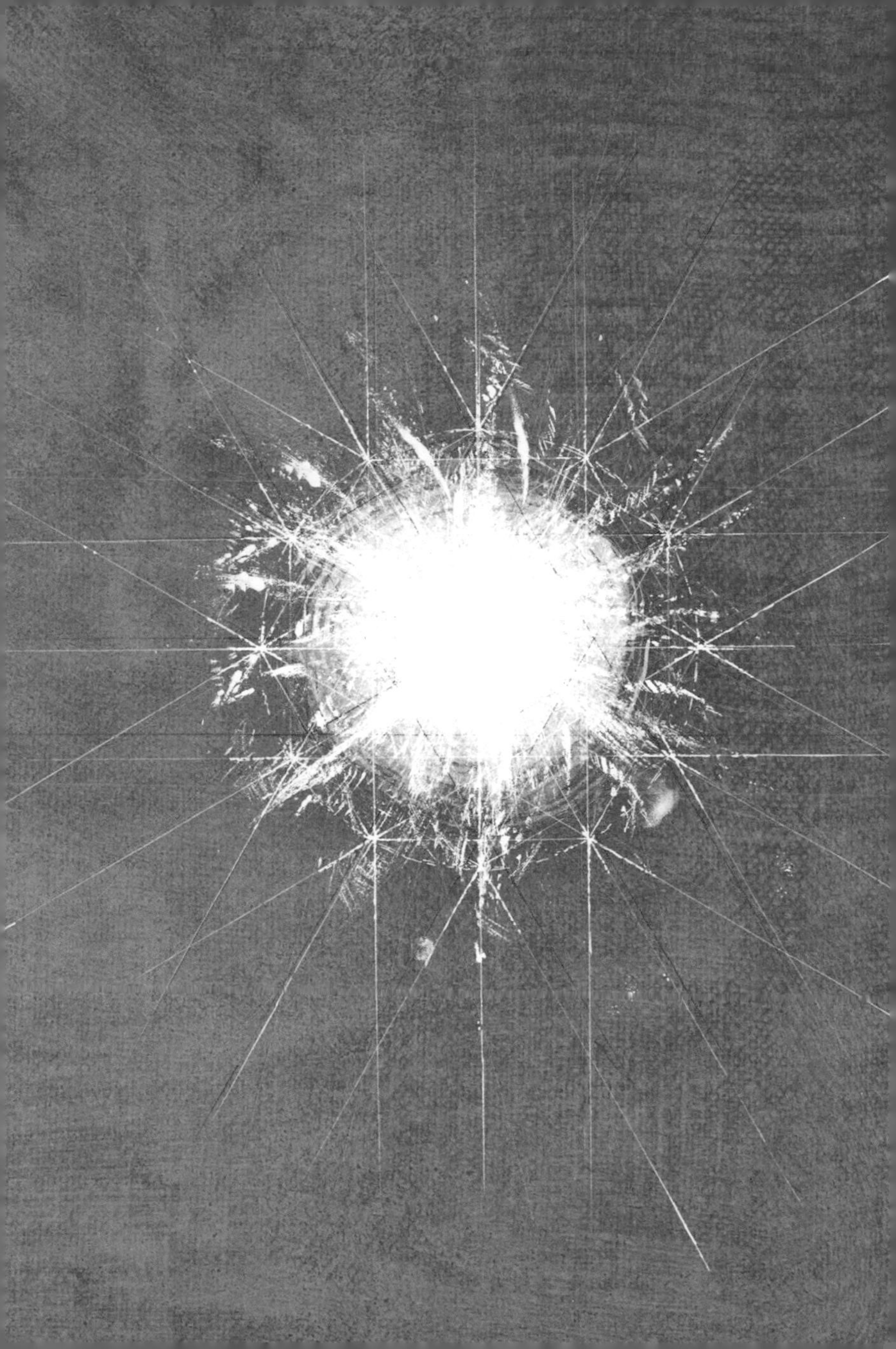

パワーのポイント

- あなたはこれまで、常に存在して来ました。これからも常に存在します。なぜなら、あなたは創造の一部だからです。
- あなたやあなたの知人の全て、そしてこれまで生きて来た全ての人々に、終わりはありません。
- この世で天国を見つけるには、あなたの真の存在——純粋な愛と喜び——と同じ波動をもって生きることです。
- 人生の最大の喜びは与えることです。なぜなら、与えなければあなたは常に生きるためにもがき苦しむからです。
- あなたの愛、喜び、前向きな姿勢、高揚した気持ち、感謝、そして情熱はあなたの人生の真実であり永遠なるものです。世界の全ての富を集めても、創造の最も価値ある贈り物——あなたの中にある愛——には、はるかに及びません。
- 愛を与えなさい。なぜなら愛は人生の豊かなもの全てを引き寄せる磁石ですから。
- この地上に生きている間、あなたが前向きな選択をし、よい気持ちでいる時は、あなたはいつも愛を与えています。そして、その愛で世の中を照らしているのです。

このパワーがあなたの全生活に
愛と喜びをもたらしますように。

これこそが、私が、あなたと世界に
実現したいことです。

著者について

ロンダ・バーンの目的は何十億という人々に喜びを与えることです。

彼女は映画「ザ・シークレット」で旅を始めました。この映画を地球上の何百万もの人が見ました。その後書かれた本『ザ・シークレット』は世界的なベストセラーとなり、今や46ヶ国語に翻訳されています。

そして、ロンダ・バーンはさらに『ザ・パワー』を書きあげ、私達の宇宙における唯一つの偉大な力を明らかにすることによって引き続き、革新的な仕事を続けています。

ザ・パワー

2011年4月30日　初版発行

著者　ロンダ・バーン

訳者　山川紘矢（やまかわこうや）・山川亜希子（やまかわあきこ）・佐野美代子（さのみよこ）

発行者　井上伸一郎

発行所　株式会社角川書店
東京都千代田区富士見2-13-3　〒102-8078
電話／編集　03-3238-8555

発売元　株式会社角川グループパブリッシング
東京都千代田区富士見2-13-3　〒102-8177
電話／営業　03-3238-8521
http://www.kadokawa.co.jp/

印刷所　大日本印刷株式会社
製本所　大日本印刷株式会社

装丁　永松大剛（BUFFALO.GYM）

落丁・乱丁本は角川グループ受注センター読者係宛にお送りください。
送料は小社負担でお取り替えいたします。
Printed in Japan
ISBN978-4-04-791643-2 C0098